D1225800

COLLECTION
Cascade

YVES-MARIE CLÉMENT

BILLY CROCODILE

ILLUSTRATIONS DE JEAN-LUC SERRANO

RAGEOT-ÉDITEUR

Pour Vincent et sa petite Barbara

Couverture : Anne Bozellec
ISBN 2-7002-2100-1
ISSN 1142-8252

LE SPECTACLE

Chaque dimanche après-midi, papa accomplissait devant une assistance de plus en plus nombreuse les tours extraordinaires qu'il avait mis au point avec ses crocodiles. Les gens venaient même de Darwin, admirer ses prouesses.

Devant la ferme, il avait aménagé un parking en plantant dans le sable des poteaux peints en blanc. Les voitures s'y rangeaient les unes à côté des autres. Moi, j'ouvrais les portières, je passais un coup de chiffon sur les pare-brise qui paraissaient avoir récolté toute la poussière du bush[1]. Et vers quatre heures, les poches gonflées de menue monnaie, je remplaçais maman au guichet, un cabanon recouvert d'un mauvais bout de tôle ondulée. Le spectacle de papa allait bientôt commencer.

1. Le bush est une étendue de buissons serrés et d'arbres isolés.

Maman, elle, préférait s'enfermer dans la maison. Je la voyais partir, les yeux pleins de crainte. Elle passait sa main dans mes cheveux et me disait :

– Surveille papa !

Puis elle allait s'asseoir dans un fauteuil. Elle allumait la télé et tricotait avec de petits gestes nerveux.

Elle détestait le dimanche.

Le soir, parfois, elle se mettait en colère :

– Tu risques ta vie pour rien, et tu le sais bien ! lui lançait-elle.

Papa n'était pas aussi fier qu'avec ses crocodiles. Bien souvent, il préférait prendre la fuite...

– Les bêtes me connaissent.

– « Les bêtes me connaissent ! » répétait maman en haussant les épaules.

– Elles sont pas si sauvages que ça ! ajoutait papa. Et puis... c'est comme ça ! lui répondait-il en claquant la porte.

Moi aussi, je tremblais. J'avais peur, mais je ne disais rien. Je ne disais rien parce que c'était mon père, et qu'il était sûrement le seul au monde à oser mettre sa tête dans la gueule d'un crocodile pour fasciner une foule de curieux.

Quand tout le monde était installé, je rangeais les dollars de la recette dans une boîte métallique cachée dans le fourneau de la cuisine, puis je regagnais ma place, au premier rang. Je me retournais de temps en temps pour adresser un petit signe à un copain de classe venu admirer « le plus grand dompteur de crocodiles de toute l'Australie ». Samson, mon meilleur ami, ne ratait pas un spectacle.

La foule était excitée. Moi, je fermais les yeux pour réciter une prière dans ma tête, toujours la même :

« Seigneur, faites qu'il n'arrive rien à papa. Je l'aime tellement, et maman aussi ! »

Je la répétais dix fois, vingt fois, pour être sûr d'être entendu. J'étais un peu rassuré.

Alors, mon père apparaissait. Il levait les bras vers le public. Autour de moi, ce n'était plus qu'un tonnerre d'applaudissements. Ça me gonflait le cœur. J'étais fier. Je devais avoir un large sourire. Papa m'adressait toujours un clin d'œil, l'air de dire : « T'inquiète pas Billy, tout va bien se passer... »

Papa avait un haut-parleur qu'il utilisait à chaque exhibition. L'appareil fonctionnait grâce à une petite batterie sèche que je rechargeais toutes les semaines. Mais il craquait tellement qu'il valait mieux avoir l'oreille fine pour comprendre ce que papa racontait. Les spectateurs s'en contentaient. Même les crocodiles s'étaient habitués à ce son. Et quand papa les appelait par leur nom, on les voyait parfois relever la tête.

– Craak ! Ro... xane ! Craak... !

Roxane, la femelle aux yeux rouges... Elle avait conservé des écailles aux tons très marqués : noir luisant sur fond jaune, ce qui en faisait un animal d'une exceptionnelle beauté. Née à la ferme cinq ans auparavant, elle mesurait maintenant presque un mètre soixante. C'était la préférée de papa. Il nous en parlait tous les soirs, à table : « Roxane a fait ci... Roxane a fait ça ! » Ce qui énervait particulièrement maman, la seule femme au monde, j'en suis sûr, à être jalouse d'un crocodile...

Deux ou trois fois, M. London, le propriétaire de la ferme, lui avait suggéré de l'abattre :

– Une peau pareille, Brian, on pourrait en tirer beaucoup d'argent à Townsville, vous savez !

– Désolé, monsieur London... Mais sans Roxane, il n'y aurait plus de spectacle ! lui répondait papa.

– Il faudra pourtant que vous y songiez, Brian ! insistait M. London. Un gros client m'en a offert un prix très intéressant.

Mais papa s'obstinait à refuser le sacrifice de sa protégée, prétextant qu'elle était différente, et qu'elle ne méritait pas d'être transformée en sac à main comme les autres crocodiles de la ferme.

– Je vous assure qu'elle sera bien plus utile à la reproduction ! avançait-il comme ultime argument.

L'ACCIDENT

Il faisait chaud ce dimanche-là, plus chaud que d'habitude. Un vent de sable avait soufflé toute la nuit. Et papa était fatigué, fatigué de la semaine qu'il avait passée avec Peter et Martin dans les marais près d'East Alligator River, sur les traces d'un crocodile géant. Plusieurs fois, le moteur du canot à fond plat était tombé en panne : gicleur du carburateur bouché à cause d'une essence de mauvaise qualité. Comble de malchance, ils avaient cassé une pale dans les hautes herbes des terres flottantes. Abandonnant du matériel, ils étaient donc revenus à la rame dans le dédale de chenaux et de vasières.

Au début de l'après-midi, papa enfila son maillot de corps blanc, laissant paraître sa puissante musculature. Il jeta un dernier coup d'œil dans la glace de la salle de bains, se passa un coup de peigne, ramenant ses cheveux vers l'arrière, et se frotta les mains.

Maman s'appuya contre le montant de la porte. Comme d'habitude, il n'écouta pas ses conseils.

– Tu ne devrais pas y aller...

Il secoua la tête, avala une gorgée de bière pour se rafraîchir...

– Tu me dis ça à chaque fois !

– Aujourd'hui, c'est différent, Brian. Tu ne sens pas que les bêtes sont énervées ?

– Qu'est-ce que tu vas encore inventer ?

– Je n'invente rien, Brian... lui répondit-elle très calmement. Il y a quelque chose dans l'air, c'est tout !

Papa aussi avait senti ce « quelque chose dans l'air ». Papa savait très bien que les bêtes étaient énervées. Mais il se croyait fort. Plus fort que le danger. Son public allait bientôt arriver, envahir les bancs. Il n'avait le droit de décevoir personne.

Le ciel était encore rouge et sombre de la tornade de la nuit. Il faisait chaud.

Quatre heures...

Le spectacle allait démarrer. Seul dans la fosse, papa commença à fouetter l'eau du bassin avec une canne, pour éveiller l'attention de ses protégés.

Splash ! Splash ! Splash !

Ce fut moins long que d'habitude. Des bulles crevèrent bientôt la surface de l'eau. Un coup de queue. Un petit tourbillon se forma. Un museau sortit, puis deux.

Dans la bassine qu'il avait déposée à côté de lui, papa saisit un gros poisson-chat par l'ouïe. L'animal, bien vivant, se débattit au bout de son poing. Il le montra à la foule muette et attentive, avant de le jeter en l'air, juste au-dessus de la tête de Roxane.

Dans un bond époustouflant, sa petite gâtée se dressa soudain hors de l'eau pour capturer sa proie en plein vol. Ses écailles mouillées brillaient au soleil, faisant ressortir le jaune et le noir de sa queue. Elle retomba dans le bassin, éclaboussant papa de mille gouttes multicolores. Puis elle disparut.

– Bravo ! Bravo !

Un murmure admiratif s'éleva de la foule. Mon voisin, qui devait sûrement assister au spectacle pour la première fois, se leva de son banc, bouche bée. Puis, comme tout le monde, il se mit à applaudir...

– Impressionnant ! me lança-t-il.

J'avais envie de lui dire : « C'est mon père, monsieur, et vous n'avez encore rien vu ! »

Moi aussi j'étais pris par le ventre, par le cœur, j'étais avec lui, à sa place, dans sa peau... C'était moi qui lançais les poissons en l'air. J'avais la gorge serrée quand Roxane jaillissait hors de l'eau. J'oubliais mes angoisses, la terreur de maman. J'avais l'impression que jamais il ne pourrait arriver de malheur.

Papa salua les spectateurs. Il prit le haut-parleur, leva la main pour demander le silence, et annonça :

– Et maintenant... craak... mesdames et messieurs... craak... je vais exécuter devant vous un tour extraordinaire, un tour unique au monde...

Je m'installai le mieux possible sur mon banc, retenant ma respiration... Papa s'accroupit et, le haut-parleur collé contre les lèvres, il appela :

– Roxane ! Craaak ! Roxane !

Rien ne se passa. Papa appela encore.

– Roxane !

Un remous... Un museau effilé apparut. La femelle hissa lentement son corps. Elle se dressa sur ses pattes, leva la tête, entrouvrit la gueule, et se dirigea tout droit vers lui, laissant derrière elle une trace dans le sable chaud.

Sur les gradins régnait le silence...

On ne percevait plus que le grésillement de la radio d'un ouvrier occupé à suivre en direct la finale d'un match de footy[1] : « Northern Territory News... Les Kangourous de Sydney mènent largement contre les Bombardiers de Melbourne. Ah ! On me signale un blessé... »

Papa plongea la main dans la bassine. Il lui offrit de nouveau un poisson, qu'elle tua d'un coup de dents avant de le faire glisser dans son gosier par petits mouvements saccadés.

Il faisait lourd. Le soleil mordait la peau. L'air, électrique, pesait sur ma poitrine.

Papa avait des gestes lents. Maintenant, sa main droite caressait doucement la gorge de Roxane, comme je l'avais vu faire cent fois. Il lui parlait, lui répétant les mots qu'elle aimait, émettant les sons avec lesquels il était parvenu à l'apprivoiser, et dont il gardait farouchement le secret.

« Dans six mois, disait-il en riant, les crocos me connaîtront tous, et les plus doués m'appelleront même par mon prénom ! »

Ensuite, toujours sans brusquerie, il

---

1. Footy : sport de balle très populaire en Australie. Il se joue sur un terrain ovale.

commença à lui ouvrir la gueule. Je serrai les poings. Mon cœur se mit à battre plus fort. Comme d'habitude, il se pencha pour placer sa tête entre les mâchoires garnies de dents impressionnantes.

Mon voisin, les mains cramponnées au banc, marmonnait dans sa moustache :

– C'est pas possible !

Soudain, un frisson de l'eau à l'autre extrémité du bassin attira mon regard. Je plissai les paupières. À peine visible sous la surface de l'eau, un croco nageait, le corps complètement immergé. L'animal se dirigeait vers papa. Qu'avait-il donc repéré ? Était-il appâté par le poisson ?

Sa tête sortit de l'eau. C'était Arthur, le grand mâle. Je le reconnus aussitôt à la blessure qu'il portait en travers du museau : un coup de fusil tiré par des chasseurs. J'eus alors un étrange pressentiment. Ma gorge se noua. Et, malgré la fournaise, un frisson glacé me traversa le dos.

Je regardai papa avec insistance... Il fallait que je l'avertisse de cette présence inquiétante. Mais il continuait son tour, impassible. Je me tournai alors vers mon voisin, vers Samson, vers la foule... J'aurais voulu crier : « Attention ! Mon père est en danger ! » Mais tous ces gens n'avaient d'yeux que pour le spectacle.

Quand Arthur frappa de la tête la surface de l'eau pour provoquer papa, il était déjà trop tard. D'un bond de géant, il jaillit hors du bassin. D'instinct, papa recula, mais il ne put empêcher les mâchoires de se refermer sur sa jambe.

– Papa !

Dans la foule, ce ne fut qu'un cri. Un cri mêlé à l'horrible craquement des os broyés sous la pression des dents pointues du reptile et au hurlement de douleur.

Tout se déroula tellement vite !

Papa se débattit, mais le crocodile ne lâcha pas prise. Peter et Martin, deux hommes de la ferme, bondirent aussitôt dans la fosse, piques en main.

Et puis, je ne vis plus rien. Il y avait des hommes et des femmes partout autour de moi, qui discutaient, commentaient, courant dans tous les sens... Je crus apercevoir maman.

Dans ce tumulte, un corps passa, porté par Peter et Martin. Je reconnus le maillot de papa, maculé de terre et de sang.

– Papa !

Que s'était-il passé ? Pourquoi Arthur avait-il attaqué ?

– Un téléphone ! hurla une femme. Faites le triple zéro !

Le triple zéro... l'ambulance. Elle serait bientôt là pour emmener papa à l'hôpital. En reviendrait-il ? Je me mis à trembler comme une feuille.

Le cauchemar ne faisait que commencer.

Le soir, à table, il n'y eut pas un mot.

C'était la première fois que je voyais maman dans cet état. Son visage était décomposé. Elle était rouge, les joues plissées par la douleur, les yeux brillants, la gorge secouée de hoquets. Moi non plus, je ne parvenais pas à ravaler mes larmes. Pourtant, j'aurais dû essayer, faire un effort, leur interdire de couler pour pouvoir la consoler, la réconforter un peu. Elle servit deux assiettes de soupe. La place de papa était vide, comme lorsqu'il partait dans les marais ou dans le bush. La main tremblante, elle posa le gigot sur la table. Je n'avais pas faim. J'avais la gorge nouée, mais je me forçai à avaler de petits morceaux de viande.

Je me souviens qu'un matin, avant de partir relever ses pièges, papa m'avait glissé dans le creux de l'oreille : « Si un

jour il m'arrive un malheur, Billy, promets-moi que tu prendras soin de maman ! »

Vers neuf heures du soir, M. London vint à la maison. J'étais dans la cuisine, attendant des nouvelles de papa. M. London attira maman jusqu'à la terrasse. Le ciel était dégagé, et il faisait frais. Mais elle ne prit pas la peine d'enfiler un gilet. Elle le suivit, s'attendant au pire. Moi, je me glissai derrière la porte, pour écouter.

M. London parla à voix basse. Mais certains mots, plus hauts que d'autres, parvenaient malgré tout à me transpercer le cœur :

– L'artère fémorale a été touchée... Brian a perdu beaucoup de sang, vous savez... Très faible... Gardez espoir !

Maman hocha la tête, et rentra à la maison.

– Va te coucher, Billy !

Ses yeux étaient lourds de chagrin.

LA HAINE

Toute la nuit, la scène de l'après-midi harcela mon sommeil. Un crocodile énorme, plus gros encore que les géants vivant dans le bassin quatre, ouvrait une gueule terrifiante et se jetait sur moi en grondant. Je hurlais, et je me réveillais en sueur, assis au bord du lit.

Au matin, la sonnerie du téléphone retentit. Les doigts tremblants, maman, qui avait passé la nuit dans un fauteuil, saisit le combiné...
– Allô !
– Allô, madame Oliver ?
C'était une voix d'homme. Je tendis l'oreille. Mais je ne perçus ensuite que le prénom de papa, prononcé à trois reprises. Je plantai mon regard dans celui de maman, cherchant à lire dans ses yeux. Les secondes me parurent interminables. Le

poing fermé, mille prières me traversèrent l'esprit.

Soudain, les yeux de maman s'illuminèrent. Elle posa la main sur son cœur, et eut un soupir de soulagement. Je compris que papa était tiré d'affaire.

– C'est... c'est l'hôpital de Darwin, me dit-elle en raccrochant, le chirurgien dit que papa est sauvé, Billy... Il est encore endormi, mais il... il va bien !

Puis elle me prit dans ses bras, et me serra très fort.

– Il va bien... il va bien... répétait-elle en sanglotant.

Le lendemain à l'aube, sous une pluie battante, maman prit le car en direction de Darwin. Je la regardai partir. Moi, je restais à la maison pour nourrir les poules. Et puis, pour la première visite, maman préférait y aller seule. Elle me promit de téléphoner dès son arrivée à l'hôpital pour me donner des nouvelles de papa.

– Je rentrerai ce soir, Billy. Tu feras chauffer la soupe !

Maman monta sur le marchepied, son petit sac noir en travers de l'épaule. L'autocar bleu démarra dans une giclée de boue et disparut très vite dans la grisaille.

Un courant d'air fit claquer la porte d'entrée. Je frissonnai. En regardant autour de moi, la maison me parut tellement vide... Le fusil de papa, ses livres, la table où il avait l'habitude de travailler, de faire ses comptes, son fauteuil, la télé... Tous ces objets semblaient vouloir se taire.

J'éprouvais l'étrange impression qu'une vie nouvelle allait commencer pour nous. D'abord, il n'y aurait plus jamais de spectacle. Les gens viendraient désormais à la ferme comme avant, pour regarder les hommes vider machinalement des bassines de poissons et de viande dans les enclos.

Vers dix heures, le ciel se dégagea. Le soleil éclaboussa soudain la terre détrempée, rendant l'air irrespirable. Je sortis, un seau de pain dur émietté et de restes dans la main droite, et un sac de maïs pilé dans la gauche. Les poules m'attendaient. Elles gloussaient, agglutinées contre le grillage.

En passant derrière la maison, je m'arrêtai près de la fosse. Les bancs installés hier en gradins avaient été empilés dans un coin. Mon cabanon était renversé contre le mur. Sur le sable jaune, l'averse avait effacé les traces de lutte du dimanche...

Je voulais la voir, lui dire ce que je pensais d'elle et de ceux de son espèce.

Dans l'eau trouble, je ne tardai pas à

apercevoir les deux yeux rouges de Roxane, flottant à la surface.

– Va-t'en ! m'écriai-je.

Je posai mon seau par terre et gesticulai pour l'impressionner.

– Fiche le camp, sale bête !

Mais elle ne bougea pas. Son regard était froid. Elle se moquait bien de moi et de ce qui était arrivé à papa.

– C'est à cause de toi qu'il est à l'hôpital. À cause de toi et de tous les autres !

Je ramassai une pierre et la lançai violemment dans sa direction. Elle ouvrit la gueule, découvrant ses mâchoires.

– T'inquiète pas, tu vas le payer ! Toi aussi tu finiras en sac à main, comme les autres !

Les poules, impatientes, se frayaient un passage à coups de becs devant la porte grillagée. Je vidai le contenu du seau et le sac de grains dans leurs auges et rentrai en hâte à la maison pour attendre un appel de maman. Devant la fosse, je croisai Peter poussant une brouette. Il me fit un petit signe :

– Hé ! Pas de nouvelles, Billy ?

– Pas encore...

Vers midi, je reçus enfin un coup de fil...

– Allô ! Ici le centre hospitalier de Darwin. Ne quittez pas, on vous parle !

Un bip-bip strident me fit sursauter. Puis une voix très faible m'interpella :

– Allô... Billy ?

– Papa !

Je me sentis soudain tout bizarre, comme pétrifié. J'imaginai papa, allongé dans son lit, les cheveux ébouriffés, le regard fatigué. J'aurais voulu être auprès de lui, dans sa chambre. Je l'aurais embrassé, j'aurais su quoi lui dire.

– Alors, Billy... comment ça va ?

– Et toi, ça... ça va ? lui demandai-je.

– J'ai encore un peu mal dans le mollet et dans la cuisse, mais ce n'est rien par rapport à hier. C'est qu'il a mordu fort, l'animal !

– Tu vas bientôt rentrer à la maison ?

– Bien sûr, Billy ! Je vais avoir besoin de toi pour réapprendre à marcher !

– Tu... tu vas avoir une canne ?

– Oui, deux belles béquilles. Pendant au moins deux semaines. Mais d'abord...

Papa marqua une pause, comme s'il cherchait ses mots.

– D'abord ?

– Il faudra que je me déplace pendant quelques jours dans un fauteuil roulant, Billy. Mais dans un peu plus de deux mois, le chirurgien dit que je pourrai galoper comme avant !

Je n'osai pas lui parler des crocos. Lui demander pourquoi Arthur avait attaqué ce jour-là. Était-ce pour protéger la femelle ? Pour défendre son territoire ?

Je l'entendis soupirer. Maman prit le téléphone :

– Papa doit se reposer, Billy. Il en a besoin !

Maman revint dans la soirée. Elle en avait profité pour faire quelques courses dans un supermarché de Darwin. J'allai à sa rencontre pour l'aider à porter ses paniers.

Son visage était détendu. Je l'embrassai. Ses joues étaient douces. Une bouffée de chaleur me remplit la poitrine.

Au souper, nous mangeâmes tous les deux avec appétit. Papa était sauvé. Papa allait revenir à la ferme. Je crois même que nous eûmes un fou rire en écoutant une blague racontée à la radio.

DES BÊTES DE LA PRÉHISTOIRE

Le lendemain matin, M. London vint nous rendre visite. Maman reconnut le bruit du moteur de sa grosse Land Rover. Elle jeta un coup d'œil par la fenêtre. Deux hommes l'accompagnaient... Elle retira en vitesse la blouse rapiécée qu'elle portait pour faire le ménage, se passa les mains dans les cheveux, secouant la tête.

– Réchauffe le café, Billy !

M. London tira d'un geste sec la cordelette pendue au-dessus de la porte. Les clochettes s'entrechoquèrent...

– Entrez, je vous en prie !

Le patron, vêtu d'un costume de ville, le col serré par une lavallière, tenait un bouquet de roses dans la main gauche, comme on porte un fusil.

– Pour vous, madame, fit-il en ôtant son panama.

– Merci, monsieur London, mais… mais il ne fallait pas ! lui répondit-elle.

Les deux autres retirèrent également leur chapeau. Je les connaissais. C'étaient des gardes forestiers qui travaillaient parfois avec papa.

– C'est peu de chose, reprit-il. Sachez que je suis vraiment désolé pour ce qui est arrivé à votre mari. Enfin, le principal, c'est qu'il s'en soit sorti !

Il hocha la tête, prit une chaise.

– Vous permettez ?

Il toussota pour s'éclaircir la gorge, et continua :

– Vous savez, Brian a toujours pris des risques inutiles avec ce spectacle. Les crocodiles ne sont pas des animaux comme les autres. On ne les apprivoise pas comme des chiens ou des chats. Ce sont de grands carnassiers, des bêtes venues tout droit de la Préhistoire. Il n'y a qu'à voir les accidents qu'ils provoquent chaque année !

– Il n'a jamais voulu m'écouter…

– Je sais, je sais. Mais maintenant, cela me pose un véritable problème…

– Un problème ? s'inquiéta maman.

– C'est que Brian ne pourra pas reprendre son emploi comme avant, madame… Avec son handicap, les captures, le marquage se-

ront désormais trop dangereux pour lui...
Vous comprenez ?

– Je comprends... Vous... vous n'allez
pas nous garder à la ferme, c'est bien ça ?

Maman se laissa tomber sur une chaise,
au bord des larmes. Mais M. London s'empressa de la rassurer :

– Ne vous inquiétez pas, madame Oliver !
Ce n'est pas ce que j'ai voulu dire. Brian va
continuer à travailler avec nous, évidem-
ment. Il occupera d'autres fonctions, c'est
tout. Dès qu'il sera rétabli, j'en discuterai
avec lui. Sans doute aimerait-il travailler à
l'écloserie ?

– Oui, sans doute... répondit maman, à
moitié soulagée.

– Les morsures y sont moins doulou-
reuses, ajouta-t-il en souriant. Et puis au
début, notre grand Billy pourra lui donner
un petit coup de main, n'est-ce pas, Billy ?
dit-il en m'ébouriffant les cheveux.

Le film de l'accident me revint à l'esprit :
les mâchoires d'Arthur se refermaient sur
la jambe de papa. Vision de cauchemar.
Souvenir insupportable.

– Oui, monsieur...

– Tu n'as pas l'air convaincu... s'étonna
M. London en me prenant par l'épaule. Tu
sais, entre nous, j'aurais été fier d'avoir un
papa comme le tien !

Je croisai son regard, et je vis qu'il était sincère. Je sentis une force nouvelle se glisser en moi.

– Ne laisse pas le café bouillir, Billy ! me lança maman.

En remplissant les tasses, j'aperçus sur le bras droit de M. London la trace ancienne d'une morsure sévère. Lui aussi avait eu affaire à l'une de ces « bêtes venues tout droit de la Préhistoire ».

Deux petits coups à la porte. La tête de Samson apparut dans l'entrebâillement. Impressionné par la présence des trois hommes, il n'osait plus faire un pas.

– Entre !

– Bonjour ! Je viens prendre des nouvelles de ton père...

LA MORT D'UN TITAN

Je retournai à l'école le lendemain. J'avais demandé à Samson de passer me prendre, histoire de ne pas arriver seul dans la grande cour de récréation. J'appréhendais un peu de revoir les autres, de revoir la maîtresse, le directeur. Comment allaient-ils se comporter avec moi ? Quelque chose de grave avait transformé ma vie, et je n'étais plus tout à fait le même.

Samson m'attendait devant la porte de la maison, juché sur la selle de son vélo cinq vitesses.

– Tu montes derrière ?

Maman ne voulait pas que je prenne le mien pour aller à l'école. Elle préférait que je m'y rende à pied. « La marche te fera le plus grand bien ! » répétait-elle quand j'insistais pour partir en vélo. En réalité, je crois qu'elle avait peur des accidents.

Au premier virage, je jetai un coup d'œil

vers la maison et grimpai sur le porte-bagages. En longeant le grand mur de la ferme, Samson se mit debout sur sa monture. La chaîne rouillée se tendit. Il appuya très fort sur les pédales pour prendre de l'élan, faisant grincer les maillons.

– Tu ferais bien de mettre de l'huile, mon vieux !

Il faisait presque frais. À l'entrée du village, un convoi de tracteurs roulait au pas. C'étaient des machines qui venaient à l'exposition de la grande foire agricole. Samson les doubla dans la descente de la rue principale. La foire agricole... Tous les ans, papa y était invité. Avec Peter et Martin, il dressait une tente sur le terrain de sport. Dans une grande bâche remplie d'eau, il lâchait trois ou quatre crocos de belle taille. Après le rodéo, c'est son stand qui attirait toujours le plus de monde. Cette année et pour la première fois depuis longtemps, il n'y participerait pas.

– Hé, Billy ! appela une voix qui m'était familière.

Samson serra les freins. Le talon de sa chaussure mordit le goudron. Je m'accrochai à la selle.

– Mince, c'est le vieux Wilkinson ! fit-il avec une moue significative.

Je me retournai, manquant de perdre l'équilibre.

– Qu'est-ce qu'il me veut, celui-là ?

Malgré la jambe qui avait d'habitude beaucoup de mal à le traîner, le vieil homme se dirigea vers nous avec empressement. Il tenait une canette de bière dans la main gauche. De la Quatre X, « la meilleure de toute l'Australie », disait papa. Les roues du vélo se bloquèrent enfin à quelques pouces du caniveau.

– Alors, mon p'tit gars ! me lança-t-il. J'ai appris la mauvaise nouvelle ! Ça n'est pas trop grave, j'espère ?

Dans le village, on ne l'appréciait pas beaucoup. Il disait souvent du mal des gens, cherchait des histoires à tout le monde. Maman l'avait surnommé « le casse-pieds ».

– Non, non, monsieur Wilkinson ! Papa va bientôt revenir !

Je baissai les yeux. Je n'avais pas envie de lui en dire plus. Pas envie d'en parler. L'accident de papa, c'était mon accident, et il me faudrait beaucoup de temps pour que la plaie se referme. Ça ne le regardait pas !

Le vieux se gratta la tempe, ramena sa casquette sur le front et reprit :

– Ils ont tué la bête, j'espère ? me demanda-t-il, regard en coin.

Je lui répondis en hochant la tête. Il prit appui sur sa canne, fronça les sourcils et continua :

– S'il n'y avait pas ces monstres-là, on vivrait dans le plus beau pays du monde !

Là, au moins, j'étais d'accord avec lui !

– Moi aussi, quand j'avais son âge, je me suis fait avoir, mon petit gars. C'était il y a très longtemps...

Il découvrit son bras, remontant méticuleusement la manche de sa chemise. Trois gros points blancs faisaient un creux à hauteur du coude.

– Tu sais, à cette époque-là, il n'y avait pas de lois pour protéger les crocodiles, pas de fermes d'élevage, non plus. Chacun était libre d'aller chasser quand il voulait, où il voulait et comme il le voulait. C'était le bon temps ! On était fous ! Les crocos... on aimait ça, aller les traquer, les dénicher dans les marais... Et je peux te dire qu'il y en avait des accidents ! Plus d'un type qu'est jamais rentré chez lui...

Samson jeta un coup d'œil sur sa montre. Nous n'étions pas en avance. Mais le bonhomme continuait de parler, me retenant par le bras quand mon chauffeur tentait d'amorcer un tour de pédalier.

– Il faisait nuit. Avec des pêcheurs du

village, on avait monté un affût dans la mangrove[1]...

Samson lorgna une nouvelle fois sa montre.

– On va être en retard, monsieur Wilkinson !

– En retard ?

– À l'école !

– L'école... bougonna le vieil homme.

Il fit un petit mouvement sec de sa canne, et nous libéra, déçu. L'école était à deux minutes, et la sonnerie allait bientôt retentir. Pas question d'arriver après l'heure le jour de mon retour !

– On les connaît, ses histoires ! s'écria Samson en reprenant la route, je suis sûr qu'il les a toutes inventées.

Je jetai un coup d'œil en arrière. Appuyé sur sa canne, l'homme nous regardait partir.

En passant le portail, j'eus envie de faire demi-tour, de rentrer à la maison. Mais il était trop tard, le directeur semblait m'attendre à l'entrée.

– Alors, Billy, j'ai appris que l'opération s'était bien passée...

– Oui, monsieur Cohen.

– Et il pourra bientôt rentrer à la maison ?

---

1. Mangrove : forêt de palétuviers en zone marécageuse.

– Le chirurgien n'a encore rien dit !

En entrant dans la salle de classe, j'eus l'impression de débarquer dans un monde nouveau. Personne n'osait me regarder. J'ouvris mon sac sans trop de conviction. Je n'avais pas envie de travailler. On était jeudi. Expression écrite. Je me mis à tourner une à une les feuilles de mon cahier de brouillon. À la dernière page, je découvris des crocodiles de toutes les tailles, dessinés la veille de l'accident. La gueule entrouverte, ils montraient leurs dents. Je pris mon stylo et raturai ces ébauches.

La maîtresse distribua les exercices. Je me mis au travail à contrecœur, relevant la tête de temps en temps. Bob, Samuel, Tom, tous les copains d'hier me jetaient des coups d'œil bizarres, comme si je m'étais soudain métamorphosé en monstre terrifiant. Je crus même entendre un nom : celui de papa. Puis Barbara, la première de la classe, se tourna vers moi pour emprunter ma gomme. Elle me fit un grand sourire qui me réconforta.

À la récréation de dix heures, je m'assis sur un banc, à côté de Samson. De petits groupes se rapprochèrent de nous.

– Hé, Billy ! Samuel, il dit que ton père a eu la jambe coupée…

Ils voulaient en savoir plus long, la curiosité était plus forte que l'embarras. Moi, je pensais à papa. Pourquoi avait-il pris tant de risques ? Il avait fait une erreur, c'est sûr, mais laquelle ?

Le soir même, en rentrant de l'école, je passai comme d'habitude devant la fosse des géants. Il y avait là une trentaine de crocodiles indopacifiques[1] que l'on gardait en captivité pour observer leur comportement et mesurer leur croissance. Quelques-uns, devenus trop dangereux pour les pêcheurs, avaient été capturés pour éviter les accidents. Certains mâles étaient encore utilisés pour la reproduction. Les plus vieux finissaient tout simplement leurs jours à l'abri des braconniers.

Ils étaient entassés pêle-mêle sur le rocher central du bassin, énormes lézards gris écrasés par la chaleur. On aurait pu croire à des corps sans vie, tant ils étaient immobiles. Étranges statues qui me glaçaient le sang.

Au centre, la tête haute, la gueule entrouverte pour se ventiler, Goliath dominait

1. Les crocodiles indopacifiques sont les plus gros des crocodiliens.

l'assemblée. C'était le plus impressionnant d'entre tous. « Un phénomène unique, le plus gros crocodile du monde », disait papa quand il racontait aux curieux le jour de sa capture, une aventure pour le moins périlleuse.

« Approchez, mesdames, messieurs ! Ce fossile vivant dépasse largement les vingt-sept pieds et il pèse plus d'une tonne. Mais si vous ne me croyez pas, je vous invite à aller le vérifier par vous-mêmes ! » ajoutait-il en ouvrant le portail grillagé. Chaque fois, les gens riaient de bon cœur. D'un rire mêlé de frissons.

Un jour, un gros monsieur de Darwin s'était évanoui en voyant papa descendre dans la fosse. En revenant à lui, il avait prétexté qu'il ne supportait pas la chaleur.

Je posai mon sac sur le rebord de béton. J'étais soulagé d'être rentré à la maison. En fermant les paupières, je crus entendre la voix de papa. Cette petite voix sans force du téléphone. Redeviendrait-elle comme avant ? Une boule me serra la gorge. Je reniflai. Tout s'était passé si vite. Pourquoi n'y avait-il aucun moyen de revenir en arrière, de remonter le temps et de tout effacer ? J'aurais tout donné pour que ça ne soit pas arrivé !

Comme la maison me semblait vide, sans

lui. Vide de ses bruits familiers. Vide de ses gestes, de ses habitudes, de son sourire, de ses discussions avec maman. Tous les deux, on était comme des orphelins... Combien de temps cela allait-il durer ? Maman... Je commençais à comprendre son ressentiment pour les crocodiles. Le vieux Wilkinson avait bien raison : « S'il n'y avait pas ces monstres-là... »

Un couple de pigeons verts se posa sur une branche d'eucalyptus surplombant la fosse. Les deux oiseaux commencèrent à roucouler en se donnant de petits coups de bec, ignorant les monstres vautrés en dessous d'eux. Un nuage de grosses mouches noires bourdonnait autour des débris de viande abandonnés par les crocos.

– Alors, Billy, tu penses à ton père ?

C'était Peter. Il décrocha le cadenas et descendit tranquillement les trois marches de pierre donnant sur le sable chaud. Un lézard arboricole bondit entre ses jambes et disparut dans une crevasse du mur.

– J'irai le voir demain, si le patron me donne la journée ! Il y a tellement de boulot, en ce moment ! Et depuis ce matin, je ne le trouve pas de très bonne humeur, le père London ! ajouta-t-il en ajustant les bords de son chapeau.

C'était sans doute à cause de l'accident. Papa le mettait dans l'embarras.

– Il faudrait tout faire en même temps ! se plaignit Peter, nourrir les bêtes, les relâcher, en abattre d'autres, les dépecer et s'occuper des peaux ! Et puis ça va bientôt être la saison des pontes. C'est qu'on n'a pas quatre bras !

Une odeur acide montait par bouffées de la fosse. En le voyant approcher les crocos, mon cœur se mit à battre plus fort.

– Je suis inquiet, fit-il en hochant la tête, Goliath n'a rien mangé depuis plus de six mois, et là, j'ai vraiment l'impression qu'il maigrit de partout.

Il contourna le monstre, lui palpa le flanc avec la pointe de son bâton et reprit :

– Je crois bien que c'est la fin !

« La fin ». Ce mot résonna dans ma tête. Et je le trouvais presque agréable. Moi tout seul, petit garçon de dix ans, je n'aurais pas pu leur faire grand mal à ces fossiles vivants, pour venger papa. Mais savoir que l'un d'entre eux allait peut-être mourir, j'avoue que cela me procura un certain plaisir.

– Ça fera une dépouille de plus pour les

termites du musée ! conclut Peter en souriant.

Il enfila ses gants de caoutchouc et ramassa les morceaux de viande et de poisson pour les jeter dans un grand sac poubelle vert. Puis il remonta le petit escalier.

– Quelle chaleur... soupira-t-il en refermant le portail derrière lui.

Une question me brûlait la langue...

– Peter, tu... tu crois qu'il pourrait manger un homme ?

– De qui veux-tu parler, Billy ?

– De Goliath...

– Goliath ? Bien sûr ! Un croco de cette taille dévorerait un taureau à son petit déjeuner !

– Et toi, tu n'as pas peur ?

– Moi, peur ? Ne t'inquiète pas Billy, on se connaît depuis un petit moment tous les deux... Et puis, je reste toujours sur mes gardes !

– Papa disait la même chose. Et ça n'a pas empêché Arthur de l'attaquer !

Le visage de Peter devint plus grave, il ne me regardait plus avec les mêmes yeux. Il fronça les sourcils, serra les lèvres, et m'avoua d'un ton très calme :

– Tu as raison, Billy... En vérité, j'ai souvent peur. Peur qu'une de ces bestioles ne se trompe un beau matin, et me prenne pour son casse-croûte. La nuit, il m'arrive même de faire des cauchemars, tu sais ! Mais au-delà de la peur... il y a tellement de plaisirs. Tu comprends ça, Billy ? Ton père et moi, on est taillés dans le même bois. On aime prendre des risques. On aime ce fichu métier... et je crois bien que rien ni personne ne pourra jamais nous arrêter !

– Moi, plus tard, j'élèverai des kangourous !

– Tu as raison, Billy, les kangourous, c'est moins dangereux que les crocodiles !

Goliath mourut le lendemain. Étrange signe du destin. Sa disparition attrista papa et ne me procura pas de joie particulière.

Chaque matin, Peter passait près de la maison avec sa brouette. Il s'arrêtait devant la fosse pour nourrir Roxane. Je le rejoignais pour le regarder faire. Il me racontait alors des histoires de chasses dans les marais. Il me donnait des conseils, également, comme si j'avais moi-même l'intention de devenir éleveur de crocodiles ! Peter ne pouvait pas imaginer. Lui aussi était aveuglé par sa passion. « Tu sais, Billy... Un homme qui n'a pas l'habitude ne peut pas savoir quand un crocodile va bondir. Seul un chasseur expérimenté est capable de remarquer ces petits changements d'attitude qui précèdent souvent l'attaque. Un léger mouvement du museau qui lui permet de bien voir sa proie, un frémissement nerveux, la queue qui s'agite... » Tout en me parlant, Peter s'accroupissait sur le sable. Il s'approchait de Roxane en prenant garde, et il lui jetait des poissons dans la gueule. Elle les broyait d'abord entre ses mâchoires solides, puis elle les faisait tourner par à-coups pour les avaler la tête la première. Moi, j'assistais au spectacle, et je me demandais si papa pourrait encore aimer cette bête-là...

LE RETOUR

Les jours passèrent.

À l'école, je me remis à travailler comme avant. On ne parlait plus trop de l'accident. Tout le monde savait que papa allait bientôt revenir à la maison. J'allais revoir mon père. Je me sentais un peu plus fort. Il faudrait s'occuper de lui. Bien sûr, il y avait maman. Elle prendrait soin de lui. Mais moi ? Est-ce que je serais à la hauteur ?

Le soir, à table, on se retrouvait en tête à tête, maman et moi. La télé ronronnait dans son coin, lançant des lueurs tremblotantes sur le mur de la cuisine. On ne se parlait pas tellement. Il y avait toujours cette place vide entre nous deux, ce fil cassé dans notre vie. Et je trouvais le temps long. J'écoutais le bruit de ma fourchette dans l'assiette. Je jetai un coup d'œil par la fenêtre quand passait une voiture, espérant voir surgir devant la porte une ambulance de l'hôpital.

– J'ai eu un seize en math, maman !

– C'est bien, Billy ! Il faudra le dire à ton père...

– Et William va passer en conseil de discipline !

– William, le petit Malbec ? Qu'est-ce qu'il a encore fait celui-là ?

Généralement, nos conversations s'en tenaient là.

Un soir, maman commença à me parler de sa rencontre avec papa. Elle m'avoua qu'au début, cette emprise qu'il semblait exercer sur les crocodiles la fascinait.

– Je ne voyais pas le danger. Ou plutôt, c'était le danger qui me plaisait, il me semble. Pour moi, Brian était un véritable héros.

J'avais l'impression que maman se parlait à elle-même. Sans doute avait-elle gardé des choses enfouies dans son cœur depuis trop longtemps. Elle avait besoin de se confier. Elle continua :

– Et puis, il y a eu Roxane, un coup de foudre pour un crocodile. Un crocodile, tu te rends compte ?

Je hochai la tête. Ses yeux brillèrent.

– Pour un chien, je ne dis pas ! reprit-elle. Les chiens sont les amis de l'homme, mais les crocos...

Elle me sourit, de son petit sourire plein de tendresse et de tristesse :

– Si tout cela pouvait lui servir de leçon !

Puis elle posa sa serviette sur la table. Elle se leva et, me regardant avec insistance, elle dit :

– Toi, Billy, j'espère que tu ne t'occuperas pas de ces satanées bestioles, plus tard !

– T'inquiète pas, maman ! Je crois bien que je les déteste autant que toi !

Ça lui faisait plaisir que je sois de son côté.

Souvent, Samson venait pour le dessert. Sa mère pensait que nous faisions ensemble nos devoirs pour le lendemain. En fait, on s'installait dans le canapé pour dévorer une belle tranche de cake en attendant le film. Un soir que maman n'était pas encore rentrée de l'hôpital de Darwin, Samson insista pour visiter la réserve de papa.

– Allez, sois sympa ! Juste pour voir !

– Qu'est-ce que tu veux voir ?

– Tu en parles tout le temps, tu te vantes que sa réserve est pleine de trésors ! C'est le moment ou jamais de me montrer !

– Justement, il n'aimerait pas qu'on y aille sans sa permission.

– Allez, Billy...

La réserve de papa. Moi aussi je mourais d'envie d'y mettre les pieds. C'était une petite pièce contiguë à l'écloserie, où il emmagasinait depuis des années tout ce qui se rapporte aux crocodiles. Je l'y avais souvent accompagné, et je savais où il rangeait la clef.

Un coup d'œil sur ma montre. Il était presque vingt heures. Maman arriverait dans une trentaine de minutes, avec le dernier car.

– Il faut faire vite, alors !

– C'est juste pour voir, je te dis !

– Tu me promets de garder le secret ?

Un grand sourire en guise de réponse...

Le vent s'était levé. Un courant d'air fit claquer la porte derrière nous. Samson alluma sa lampe de poche. Il en dirigea le faisceau vers les bassins, faisant briller des centaines de paires d'yeux.

– Impressionnant ! fit-il.

En passant devant la fosse des géants, un frisson me parcourut le dos. Dans l'obscurité, je m'imaginai qu'une de ces sales bestioles avait profité d'une porte mal refermée pour prendre la fuite. Elle nous suivait, lentement, sans faire de bruit. Elle allait sortir d'un buisson, du bord du chemin, pour refermer ses mâchoires sur nous. Je fis le vide dans ma tête, et chassai ces démons.

Devant l'écloserie brillait une petite lampe de sécurité. Je jetai un coup d'œil aux alentours. Il arrivait parfois que Peter ou Martin reviennent le soir pour terminer un travail.

– C'est bon !

Je poussai la porte. L'odeur très particulière des lieux me prit à la gorge.

– Ça pue ! murmura Samson.

– Ça sent le croco, mon vieux...

En glissant la main derrière le panneau électrique, je découvris la clef de la réserve. J'hésitai. Samson trépignait d'impatience.

– Dépêche !

Après tout, papa n'en saurait rien. Mes doigts se refermèrent dessus. La porte de la réserve s'ouvrit sans la moindre résistance. J'appuyai sur l'interrupteur. La lumière blanche du néon m'aveugla. Il faisait presque frais dans la pièce. Sur les murs, papa avait accroché des peaux de crocos remarquables pour leur beauté. Je passai mes doigts sur les écailles dorsales.

– Elles sont vernies ? me demanda Samson.

– Non ! Papa les cire de temps en temps pour les protéger.

Les crocos... je les préférais comme ça, pendus à un mur. Dans une grosse boîte posée sur la table, il avait amassé des dents de toutes les tailles. J'ouvris le couvercle et plongeai ma main à l'intérieur. J'en sortis une poignée, de la taille de celles d'Arthur ou de Roxane. C'était donc ça qui avait envoyé papa à l'hôpital ! Samson ouvrit la porte de l'armoire métallique pour découvrir des bocaux de formol contenant des crocos nouveau-nés atteints de malformations congénitales...

– Regarde celui-là, il a deux têtes !

– Faut y aller, Samson, ma mère ne va pas tarder !

Un dimanche matin, une grosse ambulance de l'hôpital se gara sur notre parking de fortune. Elle nous ramenait papa. Je reconnus le chauffeur aussitôt. C'était mon voisin sur les gradins, le jour de l'accident. Il ouvrit le coffre et en sortit un fauteuil roulant qu'il déplia dans un bruit métallique. Ensuite, il aida son passager à s'y installer.

Maman était tout émue. Elle jouait avec ses doigts, un léger sourire au coin des lèvres. On lui rendait papa.

Les roues mordaient dans le sable, et papa avait beaucoup de mal à avancer.

– Je vais t'aider ! fit maman.

Sa voix tremblait. Elle se pencha sur lui, le serra contre elle tant bien que mal, et l'embrassa très fort.

– J'ai de l'entraînement, tu sais ! Mais dans le sable...

Depuis trois jours, ne tenant plus en place, il s'était exercé en traversant de long en large les couloirs blancs de l'hôpital.

– Je vous laisse admirer !

D'un coup de biceps, il leva les roues avant et monta la marche du seuil pour nous impressionner.

– Dans un mois, je danserai la polka ! dit-il en enlaçant maman par la taille.

– Ne fais pas de bêtises ! fit-elle comme on gronde un enfant.

Dans le salon, face à la télé, elle lui avait arrangé un fauteuil garni de coussins et une petite table où elle avait empilé des magazines.

– Installe-toi ici, Brian !

Maman passa le café. À Darwin, elle avait acheté des petits gâteaux secs pour marquer le retour. C'était bon d'être à nouveau tous les trois. La maison venait de retrouver un petit air de fête.

À dix heures, maman ajusta son tablier et dit :

– Je vous laisse. Soyez sages tous les deux !

Avec ses seaux à la main, elle s'en allait laver le poulailler à grande eau. Papa lui sourit. Je m'assis près de lui, et j'allumai le téléviseur à l'aide de la télécommande.

– Un reportage sur les éléphants !

Mais très vite, il commença à regarder en direction de la fenêtre. Il ne tenait plus en place. Peu de temps après, il se redressa en s'appuyant sur les accoudoirs.

– Aide-moi à me lever, Billy !

– Maman veut que tu te reposes...

– Au contraire, le chirurgien a dit qu'il fallait que je me dépense le plus possible.

Je lui approchai son fauteuil roulant. Il fit une grimace en posant le pied à terre. Il s'assit, puis il se dirigea vers l'entrée.

– Ouvre la porte, Billy !

Il plissa les paupières, aveuglé par la lumière vive du jour. Il sortit des lunettes de soleil de la poche de sa chemise, et regarda en direction de la fosse.

– Je ne vois pas ma Roxane, s'inquiéta-t-il en scrutant la surface de l'eau.

– Hier, Peter et Martin l'ont mise avec les autres, papa... dans le bassin trois.

– Avec les subadultes[1] ?

– Je crois...

Il fit claquer plusieurs fois sa langue contre le palais et soupira, l'air mécontent.

– On ne doit pas la laisser avec les autres ! Il faut me la sortir de là, Billy. Elle est en plein apprentissage... Et si je ne lui rends pas visite tous les jours, elle risque de régresser !

– Tous les jours ? Avec ton fauteuil, ça risque de ne pas être facile...

– Je ne descendrai pas dans la fosse, Billy. Je resterai derrière le parapet. Ça me fera de l'exercice, et je pourrai lui causer !

Peter avait raison. Sa passion des crocodiles le tenait au corps. Et elle ne le lâcherait pas aussi facilement. L'avertissement avait donc été complètement inutile ! Papa était là, cloué dans son fauteuil roulant, et pourtant, j'avais déjà peur pour lui. Peur qu'il recommence. Aimait-il donc ses crocos plus que nous ?

J'aurais voulu le raisonner...

– Mais... papa... tu... tu ne crois pas

---

1. Subadulte : animal qui n'a pas encore atteint l'âge adulte.

que c'est dangereux d'essayer de l'apprivoiser ?

D'un mouvement rapide, il fit reculer son fauteuil. En passant devant la table de la cuisine, il prit un gâteau sec. Il le cassa en deux et m'en offrit un morceau.

– Roxane n'est pas un croco comme les autres, Billy.

Ce refrain-là, maman et moi l'avions entendu des centaines de fois... C'était désespérant. J'aurais voulu que papa déteste désormais les crocodiles, ne voie en eux que des bêtes féroces incapables d'éprouver quoi que ce soit. De véritables monstres impossibles à apprivoiser.

– Et Arthur ?

– Arthur, c'était un accident. Les animaux sont comme les hommes, Billy. Il y en a qui ne peuvent pas se contrôler, qui attaquent par traîtrise, sans raison apparente.

– Et si jamais Roxane...

– Oh non ! m'interrompit-il. Avec elle, je sais que je peux agir en toute confiance.

– Comment le sais-tu ?

– Ça, c'est quelque chose que je ne peux pas expliquer, Billy. C'est comme un sentiment très fort, ça se passe à l'intérieur. Mais quand je suis avec elle, j'ai l'impression de devenir un peu crocodile... ajouta-t-il.

Je hochai la tête. « Papa-crocodile », c'était la meilleure ! Je le laissai avec ses rêves et retournai m'asseoir devant mon reportage sur les éléphants. Maman poussa la porte d'entrée.

– Il y a une poule de morte !

– C'est la deuxième en un mois, s'étonna papa.

– Pas étonnant ! Elles sont tout le temps en train de se battre, répondis-je. Celle-là a sûrement reçu un mauvais coup de bec !

– Je n'ai pas vu de blessure, dit maman en ôtant son tablier. Je crois plutôt qu'elle est morte de sa belle mort !

Elle ramassa l'assiette et les tasses traînant sur la table...

– Passe un coup d'éponge, Billy. Ensuite, tu iras jeter cette pauvre bête aux crocodiles !

Le lendemain, comme papa l'avait souhaité, Peter rapporta Roxane dans la fosse en face de la maison. Il avait pris soin de lui fermer la gueule à l'aide d'un nœud coulant. La femelle, campée dans la brouette, se laissait transporter sagement.

Assis derrière la fenêtre, papa observait

la scène en souriant, les yeux pétillant de plaisir.

– J'irai la nourrir tout à l'heure... murmura-t-il.

Je regardai maman du coin de l'œil. Elle haussa les épaules, son menton frissonna. Elle aurait voulu parler, mais elle resta sans voix. Puis elle hocha la tête, jeta sur la table le magazine qu'elle était en train de lire et s'insurgea :

– Brian ! Je veux que tu me promettes de ne plus jamais t'approcher de ces bêtes-là !

Surpris par le ton, papa fit les yeux ronds :

– Voyons... Les crocos, c'est quand même notre gagne-pain. Comment veux-tu...

– On ne peut jamais discuter avec toi. Tu as la tête dure comme un caillou !

Maman sortit en claquant la porte de la cuisine. Papa me regarda et, prenant une tête affligée, me dit :

– C'est la vie, Billy !

Papa fit de rapides progrès. Durant les deux premières semaines, le kiné de l'hôpital vint trois fois à la ferme pour contrôler l'évolution de sa rééducation. Il lui donnait à faire de nouveaux exercices, plus difficiles que les précédents.

– Il faut me réveiller cette jambe, Brian.

– Je vais essayer !

– N'hésitez pas à la solliciter le plus possible ! Ce qu'il vous faut, c'est de la marche, encore de la marche, toujours de la marche ! répétait-il à la fin de chaque séance.

– Ne vous inquiétez pas, répondait papa, je n'ai pas l'intention de m'incruster dans ce fauteuil !

C'est vrai, c'était bien le genre de conseil dont papa n'avait pas besoin, lui qui ne pensait qu'à une chose : retourner au grand air pour tenir enfin compagnie à ses chers sauriens.

Un matin, en me levant, je le trouvai en train de faire le tour de la table de la cuisine sans béquilles.

– Bravo, papa !

Sur son visage, la grimace due à l'effort se transforma en sourire. Il posa la main sur sa jambe blessée, et lança, d'un ton accusateur :

– Elle me tire encore ! Mais je finirai bien par l'avoir ! Je tiens à bien marcher pour la fête des Bûcherons !

L'ÉCLOSERIE

Maman était fière. Pour la fête des Bûcherons, papa avait enfilé son costume noir. On n'avait pas l'habitude de le voir comme ça. Pour toute la famille, ce dimanche était un grand jour : celui de sa première sortie dans les rues du village.

– Fais bien attention de ne pas trop te fatiguer, Brian !

– Je me sens prêt pour le prochain rodéo, chérie !

Il faisait beau. J'avais donné rendez-vous à Samson près du stand de tir. Deux petits coups de klaxon retentirent devant le portail.

– C'est Peter !

– On y va ! lança papa.

Maman le précéda dans sa robe blanche. Elle était belle. Ce n'était plus la maman de tous les jours. Elle s'installa sur la banquette arrière. Peter ouvrit la portière avant à papa.

– Ça va aller, Brian ?

– Vous êtes tous là à vous inquiéter pour moi ! Mais je peux me débrouiller seul ! Plus besoin de nounou à mon âge !

Tout comme avec les crocodiles, j'avais l'impression que papa ne connaissait pas ses limites. Il aurait été capable de marcher des heures jusqu'à s'effondrer sur le trottoir. C'était ce que j'admirais en lui. Mais c'est aussi ce qui le rendait vulnérable, et ce qui me faisait peur.

Peter s'arrêta sur la place du village. D'énormes bouquets de fleurs ornaient les balcons des maisons. La petite foire s'était installée devant l'école. J'aperçus le directeur immobile devant sa porte, droit comme un piquet, observant les vieilles roulottes en bois peintes de toutes les couleurs.

Après ses premiers pas sur le trottoir, papa poussa un long soupir. Il eut un petit rire. Il était heureux. Moi, je jetai des coups d'œil à droite, à gauche, cherchant dans la foule mes copains de classe. J'aurais voulu crier : « Regardez, mon père est guéri ! »

Maman s'arrêta en chemin pour discuter avec la maîtresse. Papa, considéré comme un des meilleurs fusils de la région, m'accompagna jusqu'au stand de tir. Samson, une carabine 22 LR dans la main droite, avait pris de l'avance.

– Bonjour, monsieur Oliver... Regarde, Billy, j'ai déjà fait trois cartons !

– Et tu as gagné quelque chose ?

– Un croco en plastique !

L'animal avait l'air plus vrai que nature. Papa s'en saisit, le tournant et le retournant dans tous les sens.

– Pas mal ! Tu devrais essayer d'en décrocher un, Billy !

– Un croco, ça ne me fait pas très envie, papa !

– Tu en as trop à la maison ?

– C'est pas ça... Et puis de toute façon...

– De toute façon ?

Le ton montait.

– Rien...

Appuyé sur ses béquilles, papa secoua la tête, l'air réprobateur. Puis il grogna :

– Tu ne vas pas t'y mettre, toi aussi ? Il y a assez de ta mère, non ? On dirait que tu as la mémoire courte.

– Hum ?

– Tu étais bien le premier à y assister, à mon spectacle. Et tu étais bien content d'y ramasser ton argent de poche ! Ça, j'espère que tu ne l'as pas oublié !

Puis la voix de papa se radoucit :

– Allez, Billy, montre-moi ce qui te fait envie, je vais te le décrocher sans problème !

J'avisai une belle boîte de peinture qu'il n'eut en effet pas de mal à gagner... La journée se déroula dans la joie. Il ne fut plus question de crocodiles.

Le soir même, les nuages recouvrirent la forêt. Un orage éclata au moment du repas. Les premières pluies depuis très longtemps. Le lendemain matin, papa s'empressa de réparer les quelques fuites que la période sèche nous avait fait oublier. Puis il alla augmenter le thermostat de l'écloserie. Une nouvelle saison commençait.

Nous étions à la fin du mois de novembre et, cette année, le *wet*[1] avait un bon mois d'avance.

Il ne cessa de pleuvoir pendant trois bonnes semaines. Une pluie battante, assourdissante. Les murs, les cloisons, les portes, les placards, tout dans la maison suintait du matin jusqu'au soir. Une odeur de moisissure imprégnait les vêtements. Dehors, les pistes et les routes n'étaient plus que des flaques de boue où venaient s'enliser les véhicules.

À la ferme, le moral n'était pas des meilleurs. Pas de visites. Pas de sorties.

1. *Wet* : saison des pluies dans le nord de l'Australie, en opposition au *dry*.

J'étais peut-être le seul à tirer profit des intempéries : l'école inondée avait fermé ses portes quinze jours avant le début des grandes vacances... Avec Samson, nous passions des matinées entières à bouquiner des ouvrages sur les animaux. Lui était particulièrement attiré par les oiseaux.

Papa avait définitivement abandonné le fauteuil roulant et utilisait juste ses béquilles pour se déplacer. Il fallut s'habituer au cliquetis des boulons mal vissés prévenant de son arrivée.

– Tu marches trop vite ! lui reprochait maman. Tu vas tomber !

– Je ne tiens plus en place ! Et avec ce temps, c'est à peine si je peux mettre le nez dehors !

Il devait se contenter de courtes visites à Roxane. Il lui apportait du poisson, un bout de viande, il lui adressait deux ou trois mots, puis il rentrait à la maison, les vêtements trempés.

Le soir, papa s'assoupissait devant la télé. Avant de se coucher, maman lui faisait son pansement. La jambe était encore violacée, la peau brillante, boursouflée, recousue comme un vulgaire sac. Ce n'était pas beau à voir. Maman tamponnait la plaie avec un gros morceau de coton imbibé d'alcool. Elle avait des gestes très doux.

Délicatement, elle couvrait la blessure de compresses de gaze qu'elle entourait ensuite d'une large bande blanche.

– Te voilà paré pour la nuit, Brian !

– Merci...

– Tu sais bien que j'aurais rêvé d'être infirmière... ajoutait-elle.

– Tu en as le talent !

Un matin d'orage, M. London frappa à la porte. Une vague d'air frais emplit la maison. Il échangea quelques mots avec papa avant d'entrer dans le salon...

– Vous voulez donc reprendre le travail, Brian ?

– Je pense que ça vaudrait mieux pour tout le monde, monsieur London. Dans la maison, je commence à tourner en rond, vous savez !

– Les journées sont longues à l'écloserie. Vous ne pourrez guère vous asseoir...

– C'est vrai, j'y ai songé... Mais Billy n'a pas d'école en ce moment, et je me suis dit que le matin, il pourrait me donner un petit coup de main. En s'occupant des naissances, par exemple.

M. London jeta un regard en direction de maman, assise au bout de la table.

– Pourquoi pas, ça lui apprendra le métier... fit-il.

Maman posa son ouvrage. Un pâle sourire se dessina sur son visage.

– Si vous pensez qu'on ne peut pas faire autrement !

Je n'eus pas mon mot à dire. En me donnant ces nouvelles responsabilités, papa était convaincu qu'il me faisait plaisir. Bien sûr, il ignorait que moi, je ne m'étais pas remis de sa blessure. Et que chaque soir, en m'endormant, je revoyais Arthur bondir sur lui la gueule grande ouverte.

Le lendemain, à sept heures, je partis en courant sous la pluie jusqu'à l'écloserie, située à l'autre bout de la ferme. Sur une grande feuille, papa avait dressé dans l'ordre la liste de mes tâches. Je devais commencer par inspecter les œufs. Ils étaient soigneusement répertoriés, et rangés dans des caissettes en plastique à l'intérieur d'une salle entièrement climatisée. Quelques-uns pourrissaient et risquaient de contaminer les autres. Je devais les jeter, puis vérifier s'il n'y avait pas eu de naissances.

Les deux premiers matins, il ne se passa rien de particulier. Mais le troisième jour, je retrouvai une caissette grouillant de bébés crocodiles. Il y en avait une trentaine déambulant parmi les débris d'œufs.

C'étaient des petites bêtes, des petites choses inoffensives, pas plus grandes que des lézards, avec des écailles brillantes. Je tapai sur le bord de la caissette, mes nouveau-nés dressaient la tête, certains se dirigeaient d'instinct vers mes doigts.

– Erreur, les crocos... Je ne suis pas votre maman !

J'avais hâte d'annoncer la nouvelle à papa. Je les sortis alors l'un après l'autre pour les plonger dans un bassin rempli d'eau claire.

Je pris très vite plaisir à manipuler les jeunes. Avec leurs yeux globuleux, leurs petites pattes nerveuses, leurs minuscules mâchoires cherchant déjà à mordre, je les trouvais presque attendrissants. Et c'est vrai que je commençais à mieux comprendre papa.

Par contre, j'avais toujours beaucoup de peine à imaginer que des êtres pas plus longs que ma main pourraient un jour devenir aussi dangereux qu'Arthur et aussi monstrueux que Goliath.

Un matin, en entrant dans l'écloserie, j'eus la chance d'entendre le cri si particulier des jeunes appelant leur maman :

– Oum ! Oum ! Oum !

Une « couvée » de crocodiles de Johnston[1] avait éclos dans la nuit. Ils étaient une cinquantaine entassés dans le coin de la caissette, se débattant et se chevauchant dans l'espoir de trouver la sortie.

Je commençai à les attraper un par un, comme d'habitude, quand je fis une étrange trouvaille : l'un d'eux avait la peau toute blanche ! Il paraissait également plus chétif que les autres.

Je le déposai avec délicatesse dans le creux de ma main pour l'observer de plus près. Ses yeux étaient rouges comme ceux de Roxane, le museau étroit, mâchoires entrouvertes. Ses pattes s'agrippèrent au bout de mon pouce. Il tourna la tête, donnant l'impression de me regarder.

Mais soudain, sa queue se mit à trembler, et son corps se tordit sur lui-même en de rapides ondulations nerveuses. Puis de petits cris sortirent de sa gorge :

– Oum ! Oum !

1. Les crocodiles de Johnston sont une espèce typique d'Australie pouvant atteindre trois mètres.

L'avais-je serré trop fort ? Se sentait-il en danger ? Je voulus le rassurer, et je répondis à son appel, comme j'avais souvent entendu papa le faire, tout en lui caressant la gorge avec précaution. Il se calma après quelques secondes.

– Tu vois, je ne te veux aucun mal... Je suis ton ami !

Un crocodile blanc... quelle découverte ! J'étais fier... J'étais convaincu d'avoir déniché un véritable trésor ! En le plongeant avec les autres dans le bassin, j'eus un léger pincement au cœur. Il me sembla soudain si fragile...

Mon travail terminé, je me penchai au-dessus de l'eau pour admirer les évolutions de mon protégé, quand la porte de l'écloserie s'ouvrit. Papa entra, appuyé sur une seule béquille. Il marchait de mieux en mieux. Il jeta d'abord un coup d'œil sur le thermomètre mural pour vérifier la température de la pièce, puis il se dirigea vers moi.

– Alors Billy, beaucoup de naissances cette nuit ?

– Quarante-sept et une surprise, papa !

– Oh, oh ! Une surprise ?

– Viens voir...

Appuyé sur le rebord pavé du bassin, il

plongea la main dans l'eau pour exciter les nouveau-nés.

– Ils m'ont l'air bien vivaces ces petits Johnston... Dommage qu'il y ait un anormal !

– Un anormal ?

– Le blanc, là-bas. Ça m'étonnerait qu'il survive !

– Tu... tu crois qu'il va mourir ?

Papa se tourna vers moi. Nos regards se croisèrent. Je devais avoir l'air tellement navré qu'il n'eut pas de mal à comprendre :

– C'est... c'est lui, ta surprise, Billy ?

– Ben oui...

Papa hocha la tête. Il saisit le petit crocodile blanc par le dos. Il le tourna, le retourna, l'inspectant sous toutes les coutures... La gorge nouée, j'attendais son verdict... Enfin, il conclut :

– S'il reste avec les autres, c'est sûr que je ne lui donne pas longtemps à vivre... Il n'arrivera pas à se nourrir, et il finira par dépérir. Mais par contre, si quelqu'un accepte de l'adopter...

Je fis un bond.

– Je... je pourrais le garder ?

– Bien sûr, si tu penses avoir le temps de t'en occuper tous les jours. Il faudra lui donner à manger, changer son eau, laver la cage !

– À la maison ?

Il me regarda avec des yeux ronds.

– Si tu t'arranges avec ta mère !

– Et... et tu crois que je pourrai l'apprivoiser ?

En guise de réponse, papa me sourit... Selon lui, je devais être sur la bonne voie !

BARBARA

J'étais certain qu'en me voyant débarquer avec cette adorable petite chose toute blanche et mes yeux implorant la pitié, maman ne serait pas trop difficile à convaincre. Je lui expliquerais mes plans...

Je m'étais fait des idées !

– Que veux-tu faire de cette bête-là ? gronda-t-elle.

Elle me lorgna avec son regard des jours de colère. Ce regard qu'elle lançait à papa quand ils se disputaient.

– Ben... c'est pour l'élever... lui répondis-je, à la fois vexé et surpris par son accueil.

– L'élever ! répéta-t-elle en mettant les poings sur les hanches. C'est ton père qui t'a mis cette idée-là en tête ?

– Ah, non ! Je n'y suis pour rien ! intervint papa. C'est une idée de Billy. Mais ne t'affole pas, c'est juste pour quelques semaines. Si on laisse ce croco avec ceux de sa portée, je suis certain qu'il ne survivra pas !

Maman soupira...

– Et pourquoi donc ?

– Il est trop faible pour se nourrir...

– Je n'aime pas vos histoires !

Je lui lançai un regard suppliant.

– Bon ! J'accepte que tu élèves ton crocodile dans le vieux bac en ciment près du poulailler, mais à une seule condition : quand il sera hors de danger, tu dois me promettre de le relâcher avec les autres.

– Avec les autres ? Mais il risquerait de mourir, maman !

– Non, non ! fit papa. Tu n'as pas besoin de t'inquiéter, Billy. Dans deux ou trois mois, je peux t'assurer qu'il n'aura plus besoin de nourrice.

À court d'arguments, je fus bien forcé d'accepter le marché.

– Promis, maman...

Cela parut la rassurer.

– Et comment comptes-tu l'appeler ? me demanda papa.

– Est-ce que ça vaut le coup de lui donner un nom ? D'ailleurs, je ne sais même pas si c'est un garçon ou une fille...

– Il y a de fortes chances pour que ce soit une fille, me répondit-il. En ce moment, avec la température qui règne dans l'écloserie, on ne sort que des femelles.

Une fille ! Cette nouvelle m'enchanta. Et je n'eus pas de mal à lui trouver un prénom...

– Je vais l'appeler Barbara !

– C'est un très joli nom, Billy ! rétorqua papa pour me faire plaisir.

Barbara... la première de la classe. C'était aussi la plus belle et tous les garçons étaient bien sûr amoureux d'elle.

En me rendant vers le poulailler, je jetai un coup d'œil sur la fosse. J'aperçus Roxane, vautrée de tout son long dans le sable humide, la gueule entrebâillée, exhibant ses dents pointues. Je posai le doigt sur la pointe du museau de ma protégée.

– Dis... toi aussi, tu deviendras comme ça ?

Pour toute réponse, elle se mit à gigoter, et entrouvrit la gueule pour chercher à me mordre.

– Du calme, ma belle... je suis ton ami, ne l'oublie pas !

Je l'installai dans le grand bac en ciment, à l'ombre du toit de la maison. À cause de la couleur de sa peau, papa m'avait dit qu'elle ne devait pas trop prendre le soleil.

Je passai ma matinée à ramasser des branches d'arbre, des souches, des grosses pierres, des cailloux multicolores, des plantes vertes et du sable fin, pour lui créer un décor sur mesure. Dans un coin du bac, je posai une bassine dont je pourrais changer l'eau fréquemment.

Les jours qui suivirent, j'eus l'impression que Barbara ignorait complètement ma présence.

Le soir, en allant lui donner son repas, je commençais à l'appeler en tournant à l'angle du poulailler.

– C'est moi, Billy... Je vais te faire manger dans ma main, ma belle !

J'aurais tellement aimé qu'elle reconnaisse ma voix, qu'elle me regarde, qu'elle fasse quelques pas vers moi, qu'elle vienne chercher sa nourriture au bout de mes doigts...

Elle paraissait somnoler, immobile sur le sable. Mais au moment où je tendais la main pour l'attraper, elle plongeait dans la cuvette. Je me contentais alors de jeter ses boulettes de viande dans l'eau.

Pour me consoler, je me dis que c'était une réaction normale de sa part, qu'après tout, Barbara n'était qu'un crocodile comme tous les autres crocodiles, et qu'il ne fallait surtout pas que je m'y attache.

Mais c'était plus fort que moi. Ce petit être tout blanc, avec ses gros yeux rouges, faisait désormais partie de mon existence... Je lui avais peut-être sauvé la vie. Je décidai d'en parler à papa.

– Tu es bien trop pressé, Billy ! Sois patient, prends soin d'elle... Tu verras qu'un jour, ta patience sera récompensée !

– Tu crois ?

– Fais-moi confiance...

– N'oublie pas ta promesse ! me lança maman.

– T'inquiète pas, je m'en souviens ! lui répondis-je, très sûr de moi.

Mais au fond de mon cœur, je sentis comme un tiraillement.

Le lendemain matin, je la trouvai en train de lorgner une libellule virevoltant au-dessus du bac. Je me mis à genoux pour observer la scène.

Barbara, le museau hors de l'eau, attendait tranquillement que l'insecte imprudent passe à sa portée. D'un bond, elle le happa et l'embrocha de ses petits crocs pointus.

Dès cet instant, je me mis en tête qu'une demoiselle aussi agile ne pouvait pas se contenter des boulettes de viande et de poisson enrichies en vitamines et sels minéraux que l'on donnait aux autres petits. Je devais prendre soin d'elle ? Il lui fallait donc une alimentation particulière.

Le soir même, je me lançai avec Samson dans une grande chasse aux insectes. Filet en main, casquette sur la tête, nous soulevions les herbes à la recherche de sauterelles et de coléoptères. Nous attrapions mouches et papillons au vol.

– Et avec ta mère, ça s'arrange ? me demanda-t-il.

– Pas terrible... Pour elle, Barbara, ça reste un croco comme les autres.

– Elle t'a même pas dit qu'elle était belle ?

– Tu parles !

– Tu sais, j'ai pensé à un truc, Billy. Si tu la relâches avec les autres, sûrement que M. London voudra la faire tuer pour sa peau !

– Barbara, c'est mon crocodile. Et personne ne s'avisera de lui faire du mal !

Hélas, Samson avait sans doute raison. La peau de Barbara vaudrait peut-être une fortune. Et moi, que pourrais-je faire contre la volonté de M. London ? Le soir, je décidai d'en parler à papa.

– N'aie aucune crainte, me confia-t-il d'un ton rassurant. Je préférerais me fâcher avec mon patron plutôt que de laisser faire ça !

Pourtant, quelque chose me gênait dans le comportement de papa avec M. London.

J'avais comme l'impression qu'il n'oserait rien lui refuser.

Cette semaine-là, je devins éleveur de chenilles, de vers et autres larves que j'enfermais dans de vieilles boîtes à biscuits remplies de terre. Je me taillai également une belle canne à pêche dans une tige de bambou. Le dimanche, Peter m'emmena dans la mangrove. Pendant qu'il taquinait les gros poissons-chats, je remplissais mon seau d'alevins, de grenouilles et de petits crabes.

— Tu sais, Billy, ce petit coin de pêche, tu ne dois en parler à personne !

— C'est un bon coin ?

— Pour sûr ! Tu vois le groupe de palétuviers, là-bas ?

— Près de l'arbre mort ?

— C'est ça ! Eh bien, entre ces racines vit un poisson-chat énorme. Un monstre de plus de cent livres. Et je me suis promis qu'un jour, je le sortirais de là !

— Cent livres ! Tu l'as déjà vu ?

— Je l'ai même ferré, une fois. La bataille a duré deux heures. À la fin, il était épuisé, j'étais à deux doigts de l'amener dans mon filet.

— Que s'est-il passé ?

— Le fil a cassé, Billy. Pas de chance, je

n'étais pas monté assez fort. Et c'est pour ça que, depuis, il se méfie. C'est qu'il est malin !

– Tu crois qu'il vit toujours là ?

– Les poissons-chats de cette taille ne se déplacent guère. Mais surtout, je sens sa présence. Une autre fois, j'ai remonté un jeune croco dans mon filet !

– Pauvre bête !

Je fis une grimace. Peter eut un léger sourire. Il s'étonna :

– Te voilà donc réconcilié avec les cro-cos ? Tu tiens de ton père, toi, mon gar-çon !

Grâce au régime que je lui faisais suivre, Barbara ne tarda pas à prendre du poids. En quinze jours, je vis sa queue s'allonger, ses flancs épaissir, les muscles de ses pattes se renforcer. Elle était capable de manger des proies de plus en plus grosses. Elle faisait des bonds impressionnants pour les saisir. Ce n'était déjà plus le « petit être fragile » des premiers temps.

Un soir, je l'emmenai à l'écloserie pour la peser. Elle avait grossi de près d'une livre depuis la naissance. Elle était encore bien loin des quarante-cinq kilos de Roxane, et j'avais du mal à l'imaginer en « grand crocodile blanc » !

Papa suivait avec intérêt l'évolution de ma protégée. Il ne voulait pas intervenir dans ma façon de l'élever. Mais naturellement, à chaque fois qu'il venait, il prenait le temps de la caresser et de lui parler. Barbara semblait se laisser faire plus facilement qu'avec moi. J'étais un peu jaloux. Heureusement, papa ne s'en rendit jamais compte, trop captivé par sa passion. Mais je voulais que Barbara soit mon crocodile, et je redoublais mes efforts.

Un matin, je l'appelais comme à l'habitude, en lui parlant tout doucement :

– Barbara... approche, ma belle... approche !

Elle tourna la tête vers moi. Avait-elle identifié son nom, ou seulement le son de ma voix ? Je n'en savais rien. Mais ce petit geste de rien du tout me fit tellement plaisir ! Je lui racontai alors ce que je faisais de mes journées, ce que j'avais sur le cœur.

Enfin, quand je sentis qu'elle m'avait vraiment repéré, j'approchai le doigt de son cou avec lenteur, pour ne pas l'effrayer. Je la pris dans ma main, et je la caressai. Elle ne se débattit pas, elle ne chercha plus à me mordre.

Elle me reconnaissait...

Le lendemain, Barbara m'offrit sans le savoir un cadeau extraordinaire. Au moment où je la quittai, elle me rappela en me faisant entendre son petit cri, venu du fond de la gorge :

– Oum ! Oum !

Ce jour-là, je compris que la séparation serait cruelle. Et je me demandais s'il ne serait pas possible de négocier de nouveau mon contrat avec maman. Je lui avais donné ma parole, bien sûr. Mais depuis, tellement de choses avaient changé ! J'avais l'impression de vivre une expérience à la fois unique et extraordinaire.

CREEK RIVER

Un dimanche, très tôt le matin, une voiture s'arrêta devant la maison dans un nuage de poussière. La bouche pleine de corn flakes, je me penchai par la fenêtre.

– C'est Peter et Martin ! m'écriai-je.

Ils semblaient tout excités. Maman joignit les mains. Que s'était-il passé ? Papa se leva de table, ouvrit la porte, et les reçut dans le salon.

– Rien de grave, les gars ?

– Au contraire, Brian, répondit Peter.

Martin se tourna vers maman, ôta son chapeau et dit :

– On s'excuse, madame. On s'est permis de vous déranger à cette heure-là... mais les pêcheurs du village viennent de nous signaler une ponte importante de Johnston...

– Des Johnston ! Vous avez bien fait, lança papa. C'est loin d'ici, Peter ?

– À cinq miles d'ici, sur Creek River,

Brian. Tu sais, dans la grande bande de sable en aval des cascades.

Papa se frotta le menton, regard songeur.

– Je vois… Combien de nids ?

– Environ une trentaine, à ce qu'il paraît… Les femelles pondaient encore à quatre heures du matin.

– Il faut y aller. On commence sérieusement à manquer d'œufs à l'écloserie. N'est-ce pas, Billy ?

– Le canot est prêt, annonça Martin. Il n'y a plus qu'à l'accrocher derrière la voiture ! Tu viens avec nous, Billy ? On aura besoin de main-d'œuvre pour le ramassage !

Là, maman n'était pas d'accord :

– C'est ta première sortie, Brian, et tu veux en plus emmener Billy ! C'est bien trop dangereux pour un enfant…

J'aurais voulu m'interposer, donner mon avis. Dire que je n'étais plus un enfant. Mais Martin insista, prenant une voix rassurante :

– Vous savez, cette expédition ne présente aucun risque, madame Oliver.

– Vous avez oublié l'accident de Brian ?

– Ce sont des Johnston, ils n'attaquent jamais l'homme. Et puis nous sommes armés…

– Billy rencontrera peut-être la maman de son petit crocodile blanc, ajouta papa.

– Ah, la, la ! À vous croire, ce n'est jamais dangereux, vos affaires !

– C'est vrai, laisse-moi y aller !

Maman soupira. Elle passa la main dans mes cheveux et dit :

– Je te trouve encore bien petit pour ce genre d'aventure… mais si tu me promets d'être prudent !

Un large sourire en guise de réponse, c'était gagné ! Je faisais partie de l'équipe…

Papa disparut trente secondes dans la salle de bains pour enfiler son short et une chemisette. Son chapeau enfoncé jusqu'aux oreilles, il mit quelques canettes de bière dans la glacière et attrapa le fusil accroché au-dessus du buffet. Il rangea quatre cartouches dans sa poche et se dirigea vers la porte.

– On sera de retour en fin de matinée, chérie. Ne t'inquiète pas !

Maman nous regarda partir.

Le beau temps était revenu. La voiture roulait à vive allure sur la route d'asphalte qui se faufilait entre deux rangées de *gum-trees*[1] aux troncs gigantesques. J'étais assis sur la banquette arrière, avec papa. En jetant un coup d'œil sur sa jambe, j'aperçus cette large cicatrice rouge qui lui barrait

---

1. *Gum-tree :* nom local de l'eucalyptus.

désormais la cuisse jusqu'en dessous du genou. Maintenant, il se déplaçait sans béquille. Mais à la dernière visite à l'hôpital, le chirurgien lui avait avoué qu'il boiterait toute sa vie.

Devant chez Martin, le canot attendait, chargé de sacs de toile et de pelles.

– On va en ramasser beaucoup ? demandai-je en attelant la remorque.

– Il faudrait déterrer au moins une dizaine de nids, répondit papa.

– Ça nous ferait combien d'œufs ?

– Environ quatre cents !

– On va tous les garder à la ferme ?

– Tu penses bien que non, Billy ! Quand ils naîtront, dans un peu plus de deux mois, on viendra faire un petit tour à Creek River pour en relâcher une centaine...

– C'est notre manière à nous de préserver l'espèce, ajouta Peter. Tu sais, sur les plages, il n'y a que très peu d'œufs qui parviennent à éclore !

Sur la piste de Dick Valley, un kangourou surgit devant le véhicule. Martin enfonça la pédale de frein. La bête, surprise, fit un bond de côté et disparut dans la végétation.

Nous soulevions un nuage de poussière. Il commençait à faire chaud, et les vitres baissées nous rafraîchissaient à peine. Dans un virage, on aperçut enfin l'eau claire de Creek River.

– On va descendre au pont des Bandicoots[1], décida Martin. Ça nous rapprochera du site.

– En plein marécage ? s'étonna Peter. Avec le canot, on risque de s'enliser !

– J'y suis venu la semaine dernière. Ça glisse un peu au démarrage, mais ensuite, ça roule sans problème !

Martin fit une manœuvre savante pour s'engager en marche arrière dans un petit chemin envahi par la végétation. Quand les pneus patinaient trop dans une mare de boue, le moteur hurlait, et la voiture dérapait sur le côté. Mais notre chauffeur pilotait en expert. En deux coups de volant, il redressait la situation.

Mon cœur battait la chamade. J'avais tellement hâte de découvrir les nids de crocodiles. Trois mois auparavant, c'était sur Creek River que Martin et Peter avaient ramassé la couvée de Barbara.

---

1. Bandicoot : petit marsupial australien.

LES ŒUFS

Bientôt, la piste se resserra pour descendre en pente douce. L'air, plus épais que dans la plaine, sécrétait des arômes puissants, parfums de fleurs, odeurs de plantes en décomposition. Un papillon aux larges ailes bleutées se posa sur le pare-brise.

– Nous y voilà ! s'écria Martin en bloquant les roues.

Le pont des Bandicoots avait souffert des orages. Il était devenu tout à fait impraticable : une traverse avait été emportée par le courant et plusieurs planches pendaient dans le vide.

Malgré les ravages provoqués par la saison des pluies, la rivière était relativement calme.

Sur l'autre rive, les racines aériennes des palétuviers formaient les barreaux d'une gigantesque cage impénétrable. Un serpent vert au ventre jaune se laissa tomber d'une branche et disparut dans les profondeurs.

– C'est là que vivent nos chers crocos ! lança papa en montrant la mangrove du doigt.

– J'aimerais bien en voir un ! m'exclamai-je.

– En plein jour, ça me paraît difficile. Mais parfois, avec un peu de chance, on aperçoit des bulles crever la surface. Ça signifie qu'ils ne sont pas loin. Ils se cachent sous l'eau et attendent que tout soit calme pour remonter faire provision d'air. En étant patient, tu finirais peut-être par deviner leurs yeux !

J'avais du mal à imaginer que sur ces berges en apparence paisibles, des dizaines de crocodiles étaient tranquillement en train de m'espionner alors que moi je ne distinguais même pas la pointe de leur museau.

Le moteur du canot démarra dans un nuage de fumée blanche. Assis à l'avant, papa cala sa jambe blessée contre le banc de nage et s'arma d'une rame pour écarter les éventuels obstacles barrant le cours de la rivière. Des oiseaux dérangés s'envolèrent à notre passage. Je ne perdais pas une miette du spectacle.

Soudain, Peter se redressa et indiqua la rive opposée :

– C'est ici ! dit-il.

Une belle plage de sable blond apparut dans une courbe. Une vraie carte postale ! Martin coupa les gaz et releva le quarante-chevaux.

– On continue à la rame !

L'étrave toucha le banc de sable. Peter fit claquer la culasse de son fusil... Il posa pied à terre. D'un regard circulaire, il explora rapidement les alentours, puis il s'aventura vers la lisière de la forêt pour inspecter minutieusement la végétation.

– C'est bon, pas de croco en vue !

– Les Johnston sont moins mères poules que les indopacifiques ! fit remarquer papa. Elles ne surveillent pas trop leur progéniture[1] !

Martin descendit à son tour pour tirer le canot au sec. Papa empoigna les pelles.

– Prends les sacs, Billy, on y va !

L'endroit ressemblait à un authentique champ de bataille. Pour creuser leur nid, les femelles avaient labouré le sol, piétiné la végétation, soulevé des racines.

– Tu vois, Billy, me dit papa en me montrant de petits monticules de sable, les œufs sont là-dessous. Nous, on va creuser, et toi, tu rempliras les sacs.

1. La plupart des crocodiliens, à l'inverse de nombreux reptiles, protègent leurs œufs et leurs petits.

J'étais fier de papa. Quelques coups de pelles firent apparaître de grosses boules blanches entassées dans une poche profonde. Je les ramassai avec attention, comme s'il s'agissait d'un trésor.

Alerté par un craquement, je regardai à l'autre extrémité de la plage. J'aperçus un énorme lézard à la peau grisâtre toute fripée, qui observait notre manège. L'animal se déplaçait avec lenteur, mesurant chaque pas, se dressant sur ses pattes antérieures dans un geste d'intimidation. Puis il se dirigea vers l'eau, lapa quelques gorgées, et se campa face à nous pour nous observer.

– Un varan !

Papa releva la tête. Il essuya son front trempé de sueur avec le pan de sa chemisette.

– Belle bête. C'est sûrement un vieux mâle... Il attend qu'on soit partis pour fouiller à son tour, Billy.

– Il va manger les œufs ?

– C'est un de ses menus préférés !

Je fis claquer mes mains, mais cela ne sembla pas l'impressionner. Sa queue fouetta le sol. À plusieurs reprises, sa langue orange sortit pour humer l'air. Nous lui volions son repas...

Vers onze heures, papa planta d'un coup

sec sa pelle dans le sable. Il s'épongea de nouveau le front, compta les sacs et dit :

– C'est bon, je pense qu'on en a prélevé suffisamment. Maintenant, laissons la nature faire le reste !

En chargeant le canot, je pensai au moment où je devrais me séparer pour toujours de Barbara. Ma gorge se serra... C'est sur une plage comme celle-ci que l'œuf de Barbara avait été déposé quelques mois auparavant, c'est là qu'elle était faite pour vivre et qu'il faudrait la relâcher un jour...

Le vent se leva. Un vent frais venu de l'Océan. Peter jeta un dernier coup d'œil sur la plage...

– C'est parti ! s'écria Martin en lançant le moteur à fond.

Sur la route du retour, les trois hommes se racontèrent des histoires de chasse...

– Et tu te rappelles quand Peter a disparu dans le marais ?

– Tu parles ! C'était la fois où on a capturé Goliath...

– Ce jour-là, je suis pas près de l'oublier, les gars ! J'ai bien failli finir dans l'estomac du monstre !

À la ferme, je m'empressai d'aller raconter mes aventures à Barbara. Je la trouvai dans la cuvette, flottant les quatre pattes écartées, ne laissant dépasser hors de l'eau que ses narines et ses yeux. Je lui expliquai ce que nous avions fait, je lui décrivis la rivière, l'endroit où vivaient ses semblables...

– C'est plein de poissons, là-bas... Et dans la mangrove, il y a des crabes qui courent sur les racines... Tu verrais, c'est super !

Je la pris doucement dans la main.

Sa gorge battait très fort. Elle m'observait de son œil rouge. Je perdis mon regard dans le sien, caressant ses écailles blanches et froides. Je la posai contre ma poitrine. Elle ne bougea plus... Ma peau devait la réchauffer.

LA PEAU DE ROXANE

Le samedi suivant, papa me réveilla à six heures du matin. Nous partions dans les marais, afin d'y relâcher une vingtaine de subadultes. Maman avait accepté sans trop de mal cette nouvelle sortie, se contentant de remarquer que je ressemblais de plus en plus à papa !

En s'asseyant sur mon lit, papa fit une grimace.

– C'est ta jambe ? demandai-je.

– Oh ! Elle me démange encore un peu, c'est normal ! Je retourne bientôt à l'hôpital pour une petite révision !

Il me tendit un bol de chocolat fumant.

– Bois ça en vitesse, Peter nous attend !

Je montai devant, entre papa et Peter. La camionnette s'élança. À l'entrée du village, le véhicule emprunta la piste des Mineurs. Elle était défoncée par le passage trop fréquent de gros engins agricoles. Derrière, des crocos de la taille de Roxane se laissaient ballotter par le cahotement des roues. Je jetai un coup d'œil par la vitre nous séparant. Toutes ces bêtes avaient vraiment de la chance. Elles allaient retrouver leur milieu, les marais, leurs congénères, la bataille pour la vie. Elles, au moins, ne finiraient pas comme leurs petites copines, en forme de sac à main pendu sur l'épaule d'une de ces belles dames de la ville.

– Comment faites-vous pour choisir celles que vous libérez, papa ?

– Ça, c'est un peu le hasard, me répondit-il.

– C'est souvent le lasso qui choisit ! fit Peter.

– Le hasard... murmurai-je.

– On essaie quand même d'attraper surtout des femelles, ajouta papa. Des femelles dont la peau est abîmée, par exemple. Commercialement, elles ne valent pas grand-chose, alors on les rend à la nature. Ça assure la reproduction de l'espèce !

– Et tu crois qu'une fois en liberté, elles n'auront pas de mal à se nourrir toutes seules ?

– Ces bêtes-là ne perdent pas leur instinct, Billy. Tu t'en rendras compte quand nous arriverons près des marais !

La camionnette stoppa au bout d'une petite piste secondaire difficile d'accès.

– Nous y sommes.

– Ici commence la mare aux crocodiles ! chantonna Peter en coupant le contact.

Dans un claquement d'ailes, un héron blanc s'envola de sa branche. Puis le silence se fit autour de nous. Le soleil apparut sur l'horizon. L'air était encore frais. L'eau s'étendait sur des miles comme un lac recouvert de terres flottantes.

– Ces marais rejoignent la mer, Billy. Et c'est là que vivent les plus gros crocodiles du monde.

– Comme Goliath ?

– Comme Goliath, et peut-être même plus gros encore !

Je frissonnai. Peter ouvrit la porte de la cabine. Les crocos restèrent un moment hébétés, immobiles, comme secoués par le voyage.

– Allez ! s'écria papa en les taquinant à l'aide d'une perche.

Le plus gros se traîna jusqu'à la sortie. Il entrouvrit la gueule. Le soleil décolla au-dessus de l'eau, l'éclairant de plein fouet.

– Tu vois, Billy, sans y avoir jamais vécu, il a reconnu l'odeur des marais !

Le croco balança la tête sur la gauche et, sans s'inquiéter de notre présence, il se lança soudain dans le vide en direction de la berge. Enfin, il prit appui sur le sable avant de plonger dans les profondeurs. Les autres le suivirent de près, disparaissant dans des éclaboussures d'eau et de lumière. Seule une petite femelle resta tapie dans le fond de la cabine. Peter la saisit par la queue pour la tirer dehors.

– Allez, la belle ! Va goûter la vie !

Le lendemain, j'eus la visite de Samson. Il venait me montrer son nouveau protégé : un vieux kooraburra[1] tout déplumé. Chez lui, c'était un véritable zoo. Il avait aménagé un enclos où vivaient une dizaine de tortues terrestres de toutes les tailles. La semaine passée, la plus grosse avait même pondu des œufs !

Il me retrouva devant le bac de Barbara. Il promenait son oiseau dans une petite cage rafistolée.

– Ben dis donc, il a une drôle d'allure !

– Je l'ai trouvé sur la route, ce matin.

1. Kooraburra : oiseau de la taille d'un corbeau, aux ailes bleutées.

Papa dit qu'il ne pourra plus jamais voler !

Il posa sa cage près du poulailler pour prendre Barbara.

– Elle ne va pas me mordre ?

– T'inquiète pas, c'est la plus douce des crocodiles !

Il renifla, leva les yeux sur moi et me demanda avec une petite voix :

– Eh, Billy... c'est vrai qu'ils vont tuer Roxane ?

– Qu'est-ce que tu racontes ?

Samson hocha la tête.

– Je me doutais bien que tu n'étais pas au courant... En rentrant chez toi, j'ai surpris une discussion entre ton père et Martin. Apparemment, M. London insiste pour avoir la peau de Roxane.

– La peau de Roxane ?

– Oui... pour faire un cadeau à un gros client. Un M. Wilson de Melbourne. Ça te dit quelque chose ? Paraît que cet homme-là va acheter plus de cent cinquante peaux !

Barbara s'agita. Samson me la tendit. Je la serrai contre moi. Le visage souriant de papa me traversa l'esprit. Les yeux perdus dans ceux de Roxane, il lui parlait, lui racontait la mangrove...

– Et... et papa a accepté ?

– Ton père, il avait plutôt l'air bouleversé en racontant cette mésaventure à Martin. Mais en fait, je crois bien qu'il ne peut pas s'opposer à la décision de son patron.

– La peau de Roxane... Tu imagines, Samson ? C'est pas possible. Il faut absolument réagir ! C'est... c'est comme si on voulait me tuer ma Barbara.

– Ça arrivera peut-être un jour, tu sais. Avec sa belle couleur...

Je caressai le flanc de Barbara, et lui répondis :

– Ça n'arrivera pas, je peux te le promettre. Parce que Barbara, je vais la relâcher !

Le sacrifice de Roxane me rendait furieux. Papa avait été forcé de l'accepter à cause de son travail, mais moi, je n'étais pas obligé de me résigner à ça !

– Qu'est-ce que tu comptes faire ? s'inquiéta Samson.

– Il n'y a pas de temps à perdre. Peter tue les crocos le mardi, il nous reste deux jours, et je sais que les parents partent lundi à Darwin pour les radios de papa. C'est l'occasion ou jamais de libérer Roxane !

Samson plissa les yeux, visiblement affolé par ma décision.

– Li... libérer Roxane ! Mais... mais comment ? Et où ça ?

– J'en sais rien... Tiens, dans la Creek River, par exemple !

– Tu es certain que c'est une bonne idée, Billy ?

– Tu en vois une autre, toi ?

Samson devait regretter de m'avoir annoncé cette mauvaise nouvelle. Il se gratta la tête et enchaîna :

– Le problème... c'est qu'il faudrait d'abord la capturer !

– À deux, je te promets qu'on y arrivera.

– Et si elle nous...

– Il faut prendre ce risque, Samson. Dis-toi que c'est peut-être le seul moyen de la sauver !

– Et pour le transport ?

– On s'arrangera... On la mettra dans un sac à grains, j'ai déjà vu papa faire ça ! Ensuite, on l'installera dans la carriole derrière mon vélo.

– Tu es fou, Billy ! On n'y arrivera jamais, crois-moi !

En fin de compte, rendez-vous fut pris pour le lendemain à quatre heures du matin, heure du départ de mes parents. Samson n'aurait pas de problème pour sortir de chez lui. Sa mère était partie en voyage chez une tante de Derby, et son père s'absentait de la maison très tôt le matin pour aller relever ses filets.

Au cours du repas du soir, papa n'ef-fleura même pas le sujet. Il parla de choses et d'autres, du dernier match de footy opposant Alice Springs à Darwin, du mauvais état des pistes pour se rendre à Kakadu National Park, du garde forestier disparu la veille près de Jim Jim Crossing, mais rien... rien au sujet de Roxane. Il grigno-tait par petites bouchées son *meat pie*[1] arrosé de ketchup. Il n'avait pas très faim, et je pouvais lire de la tristesse dans ses yeux. Sans doute n'osait-il pas m'avouer qu'il avait accepté sans broncher de vendre la peau de Roxane. Question d'honneur. Je me souvins alors de sa promesse au sujet de Barbara : « Je préférerais me fâcher avec mon patron plutôt que de laisser faire ça ! » Mais pour Roxane, il n'avait peut-être pas eu le choix. Au fond de moi-même, j'étais bien décidé à ne pas « laisser faire ça ». J'allais sauver Roxane, et ce n'était pas M. London qui m'en empêcherait.

Cette nuit-là, je ne trouvai pas le sommeil. J'avais élaboré un plan pour attraper Roxane. Mais l'accident de papa me revenait sans cesse à l'esprit. Samson avait raison, ça ne serait pas une mince affaire !

1. *Meat pie* : tourte à la viande.

À l'aube, la voiture de Peter se rangea devant la maison. La porte de ma chambre s'entrouvrit. À travers mes paupières mi-closes, j'aperçus le visage de maman. Je ne bougeai pas. Dans la pénombre, je crus la voir sourire avant de disparaître sur la pointe des pieds.

Les lumières de la cuisine et du salon s'éteignirent tour à tour. La gorge serrée, le cœur battant, je tendis l'oreille.

– Tu n'as rien oublié ? murmura maman.

– J'ai mes papiers... répondit papa.

La porte d'entrée se referma.

Le moteur diesel démarra, se mit à ronfler. Puis la voiture s'éloigna dans la nuit. Je me levai d'un bond. Au même moment, Samson tapa trois petits coups à la fenêtre de ma chambre.

– Ils sont partis ?

– Ça y est !

J'enfilai mon pantalon et retrouvai Samson devant la fosse de Roxane. Nous n'étions pas vraiment rassurés.

– Alors, vieux... tu... tu sais comment on va s'y prendre ? me demanda-t-il.

– J'ai caché un seau de poissons derrière le poulailler. Je vais descendre près du bassin pour l'attirer. Quand elle aura mangé son compte, il n'y aura plus de danger.

– Tu en es sûr ?

– Certain ! À ce moment-là, tu viendras me rejoindre pour m'aider à la faire entrer dans le sac.

Approcher des crocodiles... J'avais vu papa le faire des centaines de fois. « L'important, c'est de garder son sang-froid, disait-il, de ne pas céder à la panique. Le crocodile sent la peur qui tenaille le ventre. »

Mais en me retrouvant sur le sable, seul dans la fosse, avec pour unique éclairage la lueur du ciel étoilé, je sentis mes intestins se nouer. Je me rappelai la taille de Roxane. C'était une bête impressionnante, une masse de muscles capable de me terrasser en un éclair. L'accident de papa me revint à l'esprit. Mon imagination s'emballa. Samson avait raison, j'étais complètement fou. L'entreprise n'avait aucune chance de réussir. Il était encore temps de changer d'avis ! Pourquoi risquer ma peau pour sauver celle de Roxane ? Je jetai un coup d'œil vers Samson, accoudé sur la balustrade. Il me regardait.

– Hé, Samson ! Prends une fourche et viens dans la fosse ! On ne sait jamais !

– Arrête, Billy ! Tu me fous la trouille !

– Fais ce que je te dis !

– Tu disais qu'il n'y avait pas de danger...

– C'est juste une précaution !

Samson hésita avant de saisir une des fourches appuyées contre le mur. Il choisit la plus grande, la soupesa, posa les doigts sur les pointes aiguisées. Puis, les poings serrés sur le manche de son arme, il descendit prudemment le petit escalier. Le ventre noué, je pris un poisson par la queue et l'agitai au-dessus de l'eau...

– Roxane... hé ! Roxane.

Nous n'attendîmes pas longtemps. La surface noirâtre se troubla. Une masse sombre sortit de l'eau. Je reculai, me dirigeant vers Samson. La femelle tracta son corps mouillé sur le sable, et se planta devant nous. Je n'en menais pas large.

– Mon Dieu ! Quelle bête ! murmura Samson en serrant la fourche contre lui.

Il avait raison... C'était autre chose que Barbara ! Je retins ma respiration. Allait-elle nous attaquer ? Je n'osais plus bouger. Je me mis à trembler. Je perdais mon sang-froid, l'avait-elle remarqué ? Non ! Elle avait sans doute repéré le poisson. C'est tout ce qui l'intéressait ! Elle s'arrêta, redressa la tête comme pour humer l'air. Un râle profond sortit de sa gorge. Samson me saisit par le coude.

– On s'en va, Billy ! C'est trop dangereux !

– Laisse-moi ! C'est pas le moment !

Je me retournai. Samson était déjà perché en haut des marches, prêt à prendre la fuite.

– C'est... c'est pour toi, Roxane...

D'un coup sec, je lançai le poisson dans sa direction. Elle l'attrapa en vol. Ses dents claquèrent. Déjà, la proie qu'elle venait d'avaler n'était plus qu'un souvenir.

Roxane ne montrait aucun signe d'agressivité à mon égard. Elle semblait se comporter comme avec papa. La gueule entrouverte, elle attendait la suite. Ma main tremblait encore, mais je sentais malgré tout mon corps se détendre. J'avalai une grande bouffée d'air. Je reprenais petit à petit confiance en moi.

– Fais gaffe, Billy !

Je lui lançai un second poisson, puis un troisième. Mon seau était presque vide. Mes pas me rapprochaient doucement d'elle. Samson s'était tu. Je pensai à papa, il serait fier de moi.

Maintenant, je ne me trouvais plus qu'à quelques centimètres de Roxane, presque à genoux, à la merci de ses dents, de ses mâchoires qui ne pardonnaient pas. C'est alors que ma main glissa vers sa gorge, lentement, lentement. Elle se coulait dans l'air frais de la nuit, vers cette tête massive, six fois plus grosse que celle de Barbara.

Bizarrement, je n'éprouvai aucune peur. Je me trouvais dans un monde à part où nous n'étions plus que deux. Tous les deux. Elle et moi, dans cette fosse baignée par la lueur des étoiles. J'étais en train de vivre un défi, une sorte de revanche formidable. J'étais en train de tester ma force, mon courage, dans un pari complètement fou ! J'étais en train de jouer avec ma vie...

Enfin, mes doigts effleurèrent le cuir froid et palpitant de sa gorge. Roxane m'avait accepté, elle ne me ferait aucun mal. J'étais persuadé que je n'avais plus rien à craindre.

– Tu peux venir, Samson, elle est à nous !

– Y a rien à faire, Billy ! Derrière un grillage, ça me dérange pas de les approcher, mais là...

– Y a plus de risque, je te dis !

– C'est plus fort que moi ! Tu ne te rends pas compte !

– Allez ! Il faut que tu tiennes le sac ouvert avec ta fourche !

– Trouve quelqu'un d'autre, Billy ! Parce que moi, j'peux pas ! s'écria-t-il en jetant la fourche par terre.

Je me relevai, terriblement déçu. Ça

n'était pas la peine d'insister. Moi tout seul, je ne pourrais pas y arriver. Roxane était condamnée.

Soudain, le faisceau d'une lampe torche balaya l'intérieur du bassin, m'éblouissant. Je me protégeai les yeux.

– Billy ! Qu'est-ce que tu fais là ?

C'était la voix de Martin.

– On... je voulais sauver Roxane !

– Sauver Roxane ? Tu es fou ! Elle aurait pu te gaffer ! Sors de là tout de suite !

Sa voix se calma :

– Et pourquoi veux-tu faire ça ?

– Pour papa...

– Et il aura l'air de quoi, ton père, quand M. London va lui demander des comptes ? Allez, file ! Ça restera entre nous !

Je rentrai tout penaud à la maison. Samson m'attendait, assis sur une marche. À mon approche, il se leva.

– On laisse tomber, Samson. T'as raison, c'est de la folie !

– Salut, Billy !

Le lendemain matin, en sortant de la maison, j'allai tout droit vers la fosse de Roxane. La grille en fer du bassin était entrouverte. Au même moment, des coups de feu claquèrent. Mon cœur fit un bond. Les coups de carabine... d'habitude, je n'y faisais guère attention. Mais aujourd'hui, ils me nouaient la gorge.

Sans réfléchir, je me dirigeai vers l'abattoir, à l'autre bout de la ferme. Il faisait déjà chaud sous les arbres. Au loin, j'aperçus Peter qui refermait la porte derrière lui...

– Peter !

Je me mis à courir.

– Billy... Va plutôt voir ton père. Il a sûrement besoin de compagnie en ce moment !

Je rentrai à la maison. Maman paraissait m'attendre. Elle m'ouvrit la porte, posa sa main sur ma tête. Ses doigts tremblaient légèrement...

– C'est vraiment triste, Billy... murmura-t-elle avec son regard affligé.

Je crois bien que c'était la première fois qu'elle était affectée par la mort d'un croco.

À la maison, il ne fut plus jamais question de Roxane.

ADIEU, BARBARA !

Le lendemain, tôt le matin, je partis sur la route avec Samson. La gorge serrée, j'avais enfermé Barbara dans mon sac à dos. Le jour était venu, et ce n'était pas le moment de regretter. Il faisait frais sur la piste de Dick Valley. Debout sur les pédales, je m'engouffrai sur le chemin de terre.

– C'est encore loin ? me demanda Samson, essoufflé.

Surprises, une dizaine de roussettes prirent leur envol devant nous. D'instinct, je bloquai mes freins, et me protégeai le visage. Samson baissa la tête. Mais les chauves-souris géantes nous évitèrent et s'évanouirent en deux coups d'aile. Plus loin, c'est un couple de pélicans qui se laissa tomber d'une branche pour disparaître dans les marais.

– Voilà le pont... On est arrivés !

Les forestiers avaient enfin réparé le tablier du pont des Bandicoots. Je posai mon vélo contre un arbre.

– Ça doit grouiller de bestioles ! fit Samson en se retournant brusquement.

Un bruit de branches cassées dans les fourrés nous fit sursauter. L'image de Goliath se profila dans mon esprit.

– J'ai peur... chuchota Samson en s'approchant de moi.

Je retins mon souffle un temps qui me parut très long. Le silence était revenu. De nuit, le paysage était vraiment impressionnant. Un milan traversant le ciel cria au-dessus de la rivière.

Je m'accroupis sur un rocher, ouvris mon sac à dos et déposai Barbara entre mes pieds. Un rayon de lune baigna le cours de la rivière, éclairant la mangrove. Des crabes minuscules commençaient à courir sur les racines des palétuviers pour se mettre à l'abri du jour naissant. Un héron s'envola dans un claquement d'ailes. Les cris aigus d'une famille de kooraburras aux ailes bleues annoncèrent l'aube.

– Il va falloir rentrer ! remarqua Samson, rassuré par les premières lueurs du matin.

Moi, j'étais ailleurs. J'étais avec mon crocodile auquel je rendais la liberté.

Barbara dressa la tête. Elle dut sentir le parfum de l'eau. Elle se traîna sur le ventre jusqu'à la berge. Je la suivis du regard, savourant avec elle cet étrange moment de bonheur.

– Attends encore un peu ! dis-je en la prenant une dernière fois entre mes mains.

Elle entrouvrit la gueule. Mes doigts tremblants caressèrent le bout de sa queue. Elle allait rejoindre les siens, retrouver la liberté, la vraie vie avec sa rançon de dangers. Là-bas, entre les racines des palétuviers, que garderait-elle de moi ? Le lointain souvenir d'une voix, ou d'une odeur, peut-être ? Je la posai à deux doigts de l'eau. Une vaguelette lui souleva le museau. Cet univers devait lui paraître grandiose. Elle plongea pour disparaître dans les profondeurs.

Des bulles crevèrent la surface. C'était fini.

AH ! LES CROCODILES...

Les crocodiles existaient déjà au temps des dinosaures, il y a 200 millions d'années. Ils sont parmi les plus vieux habitants de la planète !

Le crocodile marin d'Australie peut atteindre 5 à 6 mètres et peser jusqu'à 2 tonnes.

À peine sortis de l'œuf, les bébés crocodiles savent déjà nager. Les crocodiles adultes peuvent passer deux heures sous l'eau sans respirer : des clapets ferment leurs narines.

Leurs mâchoires possèdent 54 dents redoutables mais peu solides. Elles tombent facilement et peuvent repousser... 45 fois !

En cas de disette, ils peuvent rester deux ou trois mois sans manger.

Les crocodiles vagissent, pleurent ou se lamentent mais leur cri ressemble plutôt à un grognement.

L'AUSTRALIE

De l'autre côté de la Terre, entre l'océan Indien et l'océan Pacifique, se trouve la plus grande île du monde qui est aussi le plus petit continent : l'Australie. C'est un pays grand comme quatorze fois la France mais peuplé de seulement dix-sept millions d'habitants. La population est très dispersée (cinquante fois moins d'habitants au kilomètre carré qu'en France) : dans certaines régions, les enfants ne peuvent pas aller en classe car l'école la plus proche se trouve à des centaines de kilomètres. Ils suivent des cours par correspondance ou par radio.

Les villes sont pourtant importantes et très modernes. Camberra, la capitale, a moins de 300 000 habitants, mais Sydney (où seront organisés les jeux olympiques de l'an 2000) et Melbourne sont plus étendues que Paris. Situées au bord de l'océan, on y pratique les sports nautiques toute l'année... et l'on voit parfois des habitants aller au travail en planche à voile !

Située dans l'hémisphère sud, l'Australie vit « à l'envers » par rapport à nous : à Noël, c'est l'été, les gens sont en vacances et en juillet, on est au cœur de l'hiver ! Le climat est marqué par l'alternance de deux saisons, humide en été, sèche en hiver, et au contraire de chez nous, il fait de plus en plus chaud en remontant vers le nord.

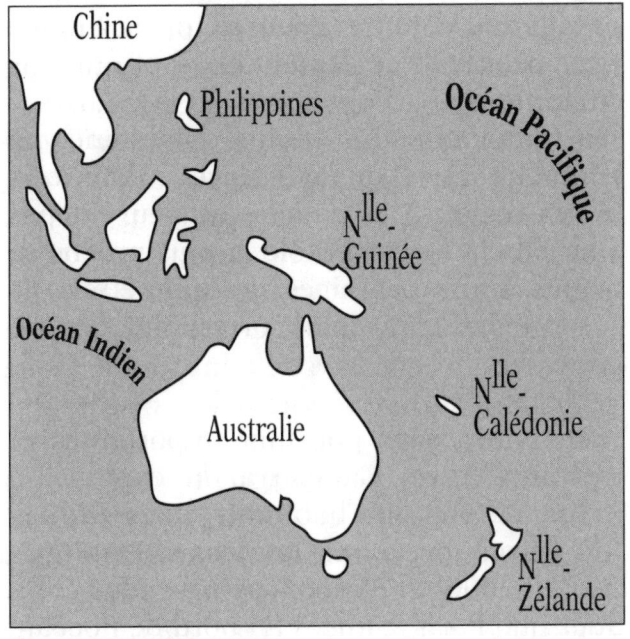

Échelle 1 / 60 000 000

LES FERMES AUX CROCODILES

La peau des crocodiles, utilisée en maroquinerie de luxe, a fait de ces reptiles des animaux très convoités par les chasseurs et les braconniers. La chasse et le commerce des peaux ont été interdits dans le monde entier en 1975. Les élevages de crocodiles qui existent aujourd'hui en Inde, en Australie et en Amérique ont permis de reconstituer l'espèce menacée. Les œufs sont ramassés dans la nature et placés dans des incubateurs. À leur naissance, les petits sont élevés en captivité jusqu'à ce qu'ils soient suffisamment grands pour être relâchés : en effet, les bébés crocodiles ont une peau très fragile et sont une proie facile pour les autres reptiles, les oiseaux et même les poissons des marécages où ils vivent. En liberté, peu survivent.

Les « fermes aux crocodiles » constituent une attraction appréciée des touristes mais pas forcément plébiscitée par tous... En France, les habitants d'Hagetmau, dans les Landes, se sont opposés à l'installation dans leur commune d'un élevage de ces reptiles pas toujours paisibles !

DRÔLES DE BÊTES

Les plantes et les animaux que l'on trouve en Australie sont très différents de ceux qui existent dans le reste du monde. Le continent australien s'étant séparé de l'Asie et de l'Afrique il y a plus de cinquante millions d'années, la nature a donc évolué différemment, et de façon très originale...

Les kangourous et les wallabies : ce sont deux espèces de marsupiaux qu'on ne trouve qu'en Australie. Le plus petit est le kangourou-rat (15 cm), le plus grand est le kangourou roux (il peut dépasser la taille d'un homme). Le bébé kangourou est minuscule. Il restera six mois à l'abri dans la poche de sa mère.

Les koalas : très doux et pacifiques, ils ont l'aspect de petits ours en peluche. Ils vivent dans les eucalyptus, dont ils se nourrissent. Ce sont aussi des marsupiaux.

Les dingos : ce sont des chiens sauvages, qui vivent et chassent en bandes.

Les échidnés : curieux mammifères au bec corné comme les oiseaux, qui pondent des œufs. Leur pelage ressemble à celui des hérissons, ils ont des mamelles dans une poche ventrale comme les kangourous, et vivent sous terre comme les taupes.

Les ornithorynques : encore des mammifères aux allures d'oiseaux ! Ils ont un bec de canard et des pattes palmées, le corps recouvert de fourrure. Les femelles pondent et couvent des œufs mais elles nourrissent leurs petits du lait de leurs mamelles.

Les émeus : ils appartiennent à la famille des casoars, oiseaux voisins de l'autruche. Ils peuvent atteindre la taille d'un homme, ne volent pas mais courent à la vitesse de 50 km / h et peuvent nager.

Les kookaburras : oiseaux de la famille des martins-pêcheurs. On les a surnommés « Jean-le-rieur » à cause de leur cri qui ressemble à un ricanement.

Ces dossiers ont été établis en collaboration avec Nicole Bustarret.

L'AUTEUR

Yves-Marie Clément est né en 1959 en Normandie où il est revenu vivre après avoir habité avec sa femme à Saint-Laurent-du-Maroni, en Guyane. Les voyages le passionnent, mais aussi les arts martiaux qu'il pratique assidûment depuis l'âge de 15 ans (il est ceinture noire de judo ju-jitsu).

Auteur de plusieurs romans pour la jeunesse, il a notamment publié *la Griffe du jaguar, Un kimono pour Tadao* et *le Village des singes* dans la collection Cascade ainsi que *le Roi des piranhas* et *Au pays des kangourous roux* dans la collection Cascade contes.

L'ILLUSTRATEUR

C'est vers trente ans que Jean-Luc Serrano quitte Toulouse pour installer ses pénates sur une île. Pas une île avec des cocotiers et le cri de perroquets de toutes les couleurs, non – une île à l'ombre de grands peupliers, avec l'envol des hérons, le sifflement d'un martin-pêcheur et un tas d'autres choses pittoresques de la bonne campagne charentaise.

Et c'est les pieds dans l'eau (ou presque) qu'il dessine les albums de BD de la série TAÏ-DOR.

COLLECTION Cascade

7 - 8

L'ABOMINABLE GOSSE DES NEIGES
Alain Surget.

AU PAYS DES BANANES ET DU CHOCOLAT
Karin Gündisch.

DRÔLES D'ANNIVERSAIRES
Dian C. Regan.

COMMENT DEVENIR PARFAIT EN TROIS JOURS
Stephen Manes.

LE FILS DES LOUPS
Alain Surget.

UN KIMONO POUR TADAO
Yves-Marie Clément.

OPÉRATION CALEÇON AU CE2
Catherine Missonnier.

PETIT FÉROCE N'A PEUR DE RIEN
Paul Thiès.

PETIT FÉROCE DEVIENDRA GRAND
Paul Thiès.

PETIT FÉROCE EST UN GÉNIE
Paul Thiès.

PETIT FÉROCE S'EN VA-T-EN GUERRE
Paul Thiès.

PETIT FÉROCE VA À L'ÉCOLE
Paul Thiès.

LA PISTE DES CARIBOUS
Annie Paquet.

POMME A DES PÉPINS
Béatrice Rouer.

QUI A VU LE TURLURU
Alain Surget.

LE SERPENT D'ANAÏS
Gabrielle Charbonnet.

SITA ET LA RIVIÈRE
Ruskin Bond.

LA SORCIÈRE EST DANS L'ASCENSEUR
Paul Thiès.

SUPERMAN CONTRE CE2
Catherine Missonnier.

LE TRÉSOR DES DEUX CHOUETTES
Évelyne Brisou-Pellen.

TRUCS À TROQUER
Marie-Noëlle Blin.

VACANCES SORCIÈRES
Catherine Missonnier.

LE VILLAGE DES SINGES
Yves-Marie Clément.

LE VRAI PRINCE THIBAULT
Évelyne Brisou-Pellen.

9 - 10

UNE AMIE GÉNIALE
Sandrine Pernusch.

ATTENTION AUX PUCES
Jean-François Ferrané.

AU BOUT DU CERF-VOLANT
Hélène Montardre.

LES AVENTURES D'UN CHIEN PERDU
Dagmar Galin.

BILLY CROCODILE
Yves-Marie Clément.

CLASSE DE LUNE
François Sautereau.

LA DOUBLE CHANCE DE JULIETTE
Françoise Elman.

DOUBLE MARTIN CONTRE POISON ROSE
Fanny Joly.

ELSA ET ANTONIO POUR TOUJOURS
Jean-Paul Nozière.

L'ÉTÉ DES CONFIDENCES ET DES CONFITURES
Yves Pinguilly.

EXTRATERRESTRE APPELLE CM1
Catherine Missonnier.

GARE AUX CROCODILES
Jean-François Ferrané.

LE GOUFFRE AUX FANTÔMES
Alain Surget.

LA GUERRE DES POIREAUX
Christian Grenier.

LA GUERRE DE RÉBECCA
Sigrid Heuck.

COLLECTION
Cascade

LES INDIENS DE LA RUE JULES FERRY
François Sautereau.
LE JOURNAL SECRET DE MARINE
Sandrine Pernusch.
LE LÉVRIER DU PHARAON
Roger Judenne.
LE MOUSSE DU BATEAU PERDU
Yvon Mauffret.
MYSTÈRE À CARNAC
Michel-Aimé Baudouy.
MYSTÈRE AU CHOCOLAT
Didier Herlem.
UN MYSTÈRE PRESQUE PARFAIT
Didier Herlem.
LA NUIT DU RENDEZ-VOUS
Hélène Montardre.

PARIS-AFRIQUE
Yves Pinguilly.
LES PASSAGERS DU GOIS
Marie Dufeutrel.
LA PLUS GRANDE LETTRE DU MONDE
Nicole Schneegans.
POUR UN PETIT CHIEN GRIS
Yvon Mauffret.
RENDEZ-VOUS AU ZOO
Corinne Gerson.
LE SECRET DE L'OISEAU BLESSÉ
Betsy Byars.
TONTON ROBERTO
Fanny Joly.
TOUCHE PAS À MON PÈRE
Chantal Cahour.

11 - 12

À CLOCHE CŒUR
Marie-Florence Ehret.
L'ACROBATE DE MINOS
L.N. Lavolle.
UNE AMITIÉ BLEU OUTREMER
Yvon Mauffret.
L'AMOUR K.-O.
Jean-Paul Nozière.
L'ANGE DE MAURA
Lynne Reid Banks.
BONS BAISERS DE CALIFORNIE
Marie-Noëlle Blin.
C'EST LA VIE, LILI
Valérie Dayre.
COMME SUR DES ROULETTES
Malika Ferdjoukh.
COUP DE FOUDRE
Nicole Schneegans.
CYRANO JUNIOR
François Charles.
LES DEUX MOITIÉS DE L'AMITIÉ
Susie Morgenstern.
L'ÉTÉ DE TOUS LES SECRETS
Katherine Paterson.

L'ÉTÉ JONATHAN
Marie Dufeutrel.
LA GRIFFE DU JAGUAR
Yves-Marie Clément.
LE JOUR DU MATCH
Gilberte Niquet.
UN JOUR UN ENFANT NOIR
William H. Armstrong.
LE MYSTÈRE DE LA NUIT DES PIERRES
Évelyne Brisou-Pellen.
PIÈGES EN COULISSE
Pierre Leterrier.
UN PONEY BLANC NEIGE
Anne Eliot Crompton.
LE ROYAUME DE LA RIVIÈRE
Katherine Paterson.
LE SECRET DU GÉNÉRAL X
Jacques Asklund.
LE TRÉSOR DU MENHIR
Yvon Mauffret.
LA VOIX DU VOLCAN
Évelyne Brisou-Pellen.
LE VOLEUR DE PANDAS
Alain Surget.

Achevé d'imprimer en janvier 1994
sur les presses de Maury-Eurolivres S.A.
45300 Manchecourt
Dépôt légal : janvier 1994
N° d'imprimeur : 94/01/F3006
N° d'éditeur : 2373